Lektüre zwischen den Jahren

Das Spiel des Lebens

Ausgewählt von
Hans-Joachim Simm

Insel Verlag

Umschlagabbildung:
Wilhelm Schnarrenberger. Kinderzimmer (Ausschnitt), 1925.

Insel Verlag Frankfurt am Main und Leipzig 2005

Quellenhinweise am Schluß des Bandes
Satz: jürgen ullrich typosatz, Nördlingen
Druck: Friedrich Pustet, Regensburg
Printed in Germany
Erste Auflage 2005
ISBN 3-458-17256-4

1 – 05

Was tu' ich nun? Das Spiel der Tage
Ist schuld, daß ich nicht achtsam war.

Hafis

Man kann das Leben nicht wiederholen
wie einen Zug beim Brettspiel.

Antiphon

Leben hab ich gelernt, fristet mir Götter die Zeit!

Johann Wolfgang Goethe

Das Spiel des Lebens sieht sich heiter an …

Friedrich Schiller

So und nicht anders

Die Menschen kümmerten mich nicht viel,
Eigen war mein Weg und Ziel.

Ich mied den Markt, ich mied den Schwarm,
Andre sind reich, ich bin arm.

Andre regierten (regieren noch),
Ich stand unten und ging durchs Joch.

Entsagen und lächeln bei Demütigungen,
Das ist die Kunst, die *mir* gelungen.

Und doch, wär's in die Wahl mir gegeben,
Ich führte noch einmal dasselbe Leben.

Und sollt' ich noch einmal die Tage beginnen,
Ich würde denselben Faden spinnen.

THEODOR FONTANE

Das Glück des Lebens

Jedes Leben beglückt. In Häusern wohnet die Ruhe,
Auf dem Lande Genuß, unter Geschäften der Ruhm,
Auf dem Meere Gewinn. Sei reich an Habe, so wird dir
Ehre; besitzest du nichts, strebe nach Weisheit und Mut.
Lebest du unvermählt: so lebst du Tage der Freiheit!
Nimm dir ein Weib: so baust du dir ein fröhliches Haus.
Kinder freuen und ohne Mühe lebet sich halb nur:
Jugend gewährt dir Kraft, reifende Jahre Verstand.
Falsch ist also die Wahl, die nicht geboren zu werden
Oder zu sterben wünscht. Jegliches Leben beglückt.

METRODOROS

Mit der Welt wie sie ist

Mit der Welt wie sie ist – so lautet mein Rat –
Dich abzufinden mußt du sinnen;
Nur mit den Karten, die einer hat,
Vermag er das Spiel zu gewinnen.

OMAR CHAYYAM

Je mehr ich mich dem letzten Tage nahe

Je mehr ich mich dem letzten Tage nahe,
Der endlich kürzet unser menschlich Elend;
Je mehr erseh' ich, wie die Zeit dahinfliegt,
Und was ich von ihr hoffte, mit ihr flieget.

Nicht lange, sprech ich denn zu meiner Seele,
Nicht lange werden wir, von Liebe schwätzend,
Zusammen fürder gehn. Die Last der Erde
Zerschmilzt wie frischer Schnee: dann ruhn wir beide.

Mit ihr dann sinkt auch jene Hoffnung nieder,
Die Eitle, die so lang mich irreführte,
Schmerz, Freude, Furcht und Zorn sind dann vorüber.

Dann werden wir erkennen, wie so öfters
Ein scheinbar Unglück unser bestes Glück war;
Und wie so öfters wir ohn Ursach weinten.

FRANCESCO PETRARCA

Über belanglose Spitzfindigkeiten und Spielereien

Es gibt eine Art von belanglosen Spitzfindigkeiten und Spielereien, mit denen manche Menschen sich Anerkennung zu erwerben suchen; das gilt zum Beispiel für jene Dichter, die ganze Werke schreiben, worin alle Verse mit ein und demselben Buchstaben beginnen; auch können wir sehen, wie die alten Griechen Eier, Kugeln, Flügel und Äxte durch die Abmessungen ihrer Verszeilen bildeten, indem sie diese derart verlängerten oder verkürzten, daß sich die jeweilige Figur daraus ergab.

Ebenso abwegig war das wissenschaftliche Unternehmen jenes Mannes, der sich der Berechnung widmete, auf wie vielerlei Arten sich die Buchstaben des Alphabets anordnen lassen, wobei er die im Plutarch nachzulesende unglaubliche Zahl von einhundert Millionen zweihunderttausend herausbekam.

Doch folgendes finde ich gut: Ein Mann war darin geübt, ein Hirsekorn derart geschickt durch ein Nadelöhr zu werfen, daß er sein Ziel nie verfehlte. Als er das einem andern vorführte und anschließend um eine Belohnung für seine ungewöhnliche Fertigkeit bat, hatte dieser den witzigen, meiner Meinung nach aber durchaus zweckmäßigen Einfall, dem Meister zwei, drei Metzen Hirse überreichen zu lassen, auf daß er mit einer so schönen Kunst nicht aus der Übung komme.

Es ist ein erstaunliches Zeugnis der Schwäche unsrer Urteilskraft, daß sie uns Dinge wegen ihrer Seltenheit, Neuheit oder auch Schwierigkeit als belangvoll hinstellt, selbst wenn ihnen jeder Wert und Nutzen abgeht.

Gerade erst haben wir uns zu Hause mit dem Spiel beschäftigt, wer die meisten Dinge zu finden wisse, in denen die äußersten Gegensätze zusammentreffen. *Sire* zum Beispiel ist ein Titel, mit dem man die höchste Person unsres Staates anredet, nämlich den König, den man aber ebenso dem Namen einfacher Bürger (zum Beispiel der Kaufleute) voranstellt, während er den Menschen dazwischen nicht zukommt. Oder: Frauen von hohem Adel nennt man *Dames*, die von mittlerer Schicht *Demoiselles* und die der untersten Schichten wiederum *Dames*. Und das Spiel mit Würfeln, die man auf den Tisch wirft, ist nur in den Fürstenhäusern gestattet – und in Schenken. Und Demokrit sagte, Götter und Tiere hätten schärfere Sinne als die Menschen, die ja dazwischenstehn. Und die Römer trugen an Trauer- und Festtagen dieselben Kleider. Und fest steht, daß äußerste Angst und äußerster Kampfesmut gleichermaßen die Eingeweide durchwühlen und leeren, und so weiter und so fort.

Auch der Spitzname *Zitterer*, den man Sancho, dem zwölften König von Navarra, gegeben hat, lehrt, daß wilder Wagemut unsre Glieder ebenso erbeben läßt wie Furcht. Als die Knappen, die ihrem Herrn die Rüstung anzogen, sahen, wie ein Schauder seine Haut überlief, versuchten sie ihn zu beruhigen, indem sie die ihm bevorstehende Gefahr bagatellisierten; er aber entgegnete: »Ihr kennt mich schlecht. Wenn meine Haut wüßte, daß mein Mut sie bald zu Markte tragen wird, sänke sie steif und starr zu Boden!«

Dieselbe Schwäche, die uns beim Liebeswerk aus kaltem Überdruß befällt, überkommt uns auch bei allzu heftigem und heißem Begehren. Äußerste Kälte und äußerste Hitze sengen und dörren gleichermaßen. Aristoteles sagt, Bleibauen schmölzen und zerflössen im Winterfrost wie unter glühender Sonne. Verlangen und Sättigung sind als Seelenzustände ober- und unterhalb der Wollust mit Schmerz erfüllt.

Gegenüber den menschlichen Unglücksfällen treffen sich Dummheit und Weisheit in der gleichen inneren Einstellung und Entschlossenheit, mit ihnen fertig zu werden; nur packen die Weisen das Übel am Kragen und machen es sich gefügig, während die Dummen vor ihm die Augen schließen – diese stehn sozusagen diesseits der Widrigkeiten, jene jenseits; denn nachdem die Weisen deren Wesen erwogen, nachdem sie ihnen Maß genommen und sie als das erkannt haben, was sie sind, schwingen sie sich mit der Kraft ihres mutigen Herzens über sie hinweg. Sie verachten sie und setzen ihnen den Fuß auf den Nacken. Ihre Seele ist so fest und stark, daß die Pfeile des Geschicks, auf Unverletzliches treffend, unweigerlich daran abprallen und zersplittern. Die gewöhnliche, mittlere Befindlichkeit des Menschen nun ist von beiden Extremen gleich weit entfernt; in ihr leben all jene, welche die Übel zwar durchaus wahrnehmen und fühlen, doch nicht zu ertragen wissen.

Kindheit und Greisenalter wiederum treffen sich in der Schwäche des Gehirns, wie Geiz und Verschwendungssucht in ein und derselben Begierde nach immer mehr.

Man kann mit einer gewissen Berechtigung sagen, daß es eine ABC-Schützen-Unwissenheit gibt, die dem Wissen vorausgeht, und eine andere, gelehrte und sokratische, die nach ihm kommt; diese wird vom Wissen im gleichen Maße erzeugt und aufgebaut, wie es jene abbaut und löscht.

Aus den einfachen Gemütern von geringer Wißbegier und Bildung macht man gute Christen, die aus Ehrfurcht und Gehorsam schlichtweg glauben und sich an die kirchlichen Gesetze halten. Die von mittlerer Geistes- und Erkenntniskraft verfallen leicht Irrmeinungen. Sie folgen dem erstbesten Wortsinn, der ihnen plausibel scheint, und legen es mit einem gewissen Recht als Zeichen von Unbedarftheit und Begriffsstutzigkeit aus, wenn sie uns, die wir uns nicht durch eignes Studium sachkundig gemacht haben, am Althergebrachten festhalten sehn.

Die großen Geister aber, die umsichtiger und klarblikkender sind, bilden eine dritte Art von Rechtgläubigen. Durch lange und gewissenhafte Erforschung der Schrift dringen sie zu deren tieferem, verborgnerem Licht vor und schauen das unerklärliche göttliche Geheimnis unsres kirchlichen Regiments. Zuweilen läßt sich beobachten, daß manche auch über die zweite zu dieser höchsten Stufe gelangen, hierdurch eine ungewöhnlich fruchtbare Bekräftigung ihres Glaubens erfahren und nun, gleichsam an der äußersten Grenze christlicher Erkenntnis, sich ihres Sieges erfreuen, indem sie sich getröstet fühlen und dafür Dank sagen, ihre Lebensführung läutern und größte Bescheidenheit üben.

Diesen Rang möchte ich aber keineswegs jenen zuerkennen, die, weil sie sich von dem Verdacht des Festhaltens an ihrem früheren Irrtum reinwaschen und uns ihrer jetzigen Rechtgläubigkeit versichern wollen, mit unangemeßnem, ja maßlosem Übereifer sich in die Verteidigung unsrer Sache stürzen und sie durch eine unendliche Folge verwerflicher Taten beschmutzen.

Die einfachen Bauern sind vernünftige Leute ohne Buchwissen, und vernünftige Leute auch die Philosophen, soweit es sie heut noch als starke, klarsichtige und an umfassender Bildung in nützlichen Wissenschaften reiche Naturen gibt. Die Halbgebildeten hingegen, welche die erste Stufe, die des fehlenden Buchwissens, für unter ihrer Würde hielten, die dritte jedoch (den Hintern zwischen zwei Stühlen wie ich und viele andre) nie zu erreichen vermochten, sind lästig und gefährlich, da zu nichts nütze – sie stürzen die Welt in Verwirrung. Ich für mein Teil ziehe mich daher, soweit ich kann, auf die erste, natürliche Stufe zurück, über die hinauszuwachsen ich mich vergeblich bemüht habe.

Die rein natürliche Volksdichtung hat Züge einer unverbildeten Anmut, in denen sie es mit der maßgeblichen Schönheit vollendeter Kunstdichtung durchaus aufnehmen kann; das ersieht man zum Beispiel aus den *Villanellen* der Gascogne ebenso wie aus den Liedern, die von jenen Völkern zu uns gelangt sind, bei denen man keinerlei Wissenschaft, ja nicht einmal die Schrift kennt. Die mittelmäßige Dichtung hingegen, die zwischen den beiden Stufen stehenbleibt, wird von den Meistern verachtet, denn sie ist ohne Würde und Wert.

Da ich nun aber sehe (und dergleichen geschieht immer wieder, sobald der Geist sich auf der rechten Fährte befindet), daß wir etwas für eine schwierige, einem ungewöhnlichen Gegenstand gewidmete Unternehmung gehalten haben, die es in keiner Weise ist, und daß unsere Phantasie, einmal angeregt, eine Unzahl ähnlicher Beispiele zu entdecken vermag, will ich hier nur noch dieses eine anfügen: Unterzöge man meine *Essais*, falls sie dessen würdig wären, einer Beurteilung, könnte sich meiner Ansicht nach hierbei ergeben, daß sie den gemeinen, ungebildeten Geistern ebensowenig gefielen wie den ungemein gebildeten: Jene würden zuwenig davon begreifen, diese nur allzuviel. Auf der mittleren Ebene aber mögen sie vielleicht ihr Dasein fristen.

MICHEL DE MONTAIGNE

Des spils ich gar kein gluck nit han

Des spils ich gar kein gluck nit han / der vnfal thut mir zorne.
Hab ich gut spil inn henden schan / noch ist es als verlorne.
Was ich auff setz / ich würff drei hertz / thet hertz würffs wider warten /
Da was kein blat / noch hertz noch radt / gen mir in irer karten.

Wie wol sie doch inn henden hett / hertz / schellen / graß und eycheln /
Gar bald sie schellen werffen thet / mir zü eim narren zeychen /
Eyn blatt von graß / das deutet das / sie mir keyn gmüt will tragen /

So wirff ich hertz / und denck mit schmertz / ich soll
keyn gluck erjagen.

Noch ist es dem eyn schwere Pein / den spilsucht hat
vmbfangen /
Das denck ich itz imm hertzen mein / und geht mir selbs
zu handen /
Das ich nit kan / mein spielen lan / und trag sein gar
keyn gfellen /
An disem ort / mir gworffen wurdt / uff mein drei hertz
zwo schellen.

Da kam fraw Venus mit jr kunst / wolt mischen baß die
karthen /
Nun wil ich lenger wol vmb sunst / noch jrer gnaden
warten /
Es ist verlorn / Jupiters zorn / hat mich mit vnfal troffen /
Das ich mein bladt / das hertz und radt / vergeblich hab
verworffen.

Nun hilfft mich doch als sehnen nit / dann gluck hat mich
verlassen /
Ich binn zu keynem heyl geschickt / künt ich mich spilens
massen /
Es deucht michs best / noch wil ich fest / wiewol
vergeblich harren /
Jr diener sein / glück gib mir schein / ob sie mich schon
thut narren.

UNBEKANNTER VERFASSER

Die ganze Welt ist eine Bühne

Die ganze Welt ist eine Bühne,
Die Fraun und Männer drauf sind Komödianten:
Sie liefern ihren Auftritt und gehen ab,
Und ein Mensch hat in seiner Zeit viel Rollen,
In sieben Akten spielt sich ab sein Leben.
Erstlich das Kind, das in der Amme Armen
Quäkt und erbricht. Der Schulbub dann,
Der frischen Blicks mit seiner Büchertasche
Im Schneckengang ungern zur Schule kriecht.
Dann der Verliebte, seufzend wie'n Kamin,
Ein Wehmutslied auf seines Mädchens Augen.
Dann ein Soldat, voll sonderbarer Flüche,
So bärtig wie ein Panther, in der Ehre
Empfindlich und in Händeln rasch und heftig,
Sucht er die Seifenblase Ruhm sogar
In der Kanone Schlund. So dann der Richter,
Mit rundem Bauch, gemästet durch Kapaunen,
Mit strengem Blick und gutgeschnittnem Bart,
Voll weiser Sprüche aus verstaubten Akten,
So spielt er seinen Part. Im sechsten Alter
Schlurft in Pantoffeln er als hagrer Pantalone,
Mit Brill auf der Nase, Beutel seitlich,
In jugendlicher Hose, brav geschont,
Maßlos zu weit für die verschrumpften Schenkel;
Die einst so forsche Stimme, Kindlichem
Diskant verfallend, piepst und wispert noch
In seinem Ton. Die letzte Szene, die
Das so ereignisreiche Drama schließt,

Ist zweite Kindheit, ist Vergeßlichkeit,
Ohn' Zähne, Augen und Gefühl, ohn' alles.

WILLIAM SHAKESPEARE

Das ewige Spiel Gottes

Wenn eine Figur in einem Geiste gebildet wird, daß sie bestehet und so der andere Geist mit diesem ringet und obsieget, so wird sie wieder zertrennt oder ja verändert, alles nach der Qualitäten Art. Und das ist in Gott wie ein heiliges Spiel.

JAKOB BÖHME

List ist zwar bey vielen dingen

Der Erste Satz

List ist zwar bey vielen dingen /
Menschen list behelt den preiß /
Dann er kühnlich sich zu schwingen
Jn dem wiederwinde weiß
Vber die beschaumbten Wellen /
Vnd die schiffart an zu stellen.
Auch der Götter werck die Erde /
Die stets wehrt vnd nie erliegt /
Daß er früchte von jhr kriegt /

Leßt er durch die schlacht der Pferde
Jährlich nimmer vngepflügt.

Der Erste GegenSatz

Ja eh er weiß das garn zu stellen
Für der Vögel leichtes heer /
Weiß des wildes Volck zu feilen /
Geht mit Netzen auff das Meer /
Vnd berückt die nassen scharen /
Er der Mensch klug vnd erfahren.
Mehr sein kluger Witz besieget
Thiere so vmb Berge sind:
Der ein Pferdt auch überwindt /
An das joch den Ochsen füget
Das noch vngezähmte Rindt.

Der Ander Satz

Er kan Worte / kan verstandt
Windes voll / kan grieff vnd Hand
Lernen Städte zu verwalten:
Kan der scharffen lufft entgehn /
Jn dem regen nicht erkalten /
Reiffen raht stets bey sich halten /
Leßt in vnraht alles stehn.
Diß nur kan er nicht vermeiden /
Was vns heißt von hinnen ziehn:
Weiß geübt doch vnd bescheyden
Grosser kranckheit zu entfliehn.

Er weiß künste zu erdencken
Mehr als er jhm hoffnung macht:
Kan bald sein gar arg bedacht /
Baldt sich auch zum guten lencken.

Der Ander Gegensatz

Wer der Statt jhr recht zu spricht /
Der ist Bürger / Bürger nicht
Der nicht lebt wie sichs gebühret /
Treget gar zu hohen muth.
Der wird nicht bey mir gespühret /
Welcher diese Sinnen führet /
Oder auch dergleichen thut.

MARTIN OPITZ (NACH SOPHOKLES)

Eine Sanduhr

O Menschenkind beacht doch diese Warnung hier,
so dir bezeugt den Lauf deins Lebens für und für!
Bund * Unser Leben, schau, ringet stets im Kampf * Tod
bunt Wann es lang gewährt, ists ein bloßer Dampf. Glück
Geld Hoffen uns erhält. Harren uns ernährt; Not
schallt Kummer, Krankheit, Sorg verzehrt. Tück
Welt Wie im Glas geschwind schnell
wallt: klarer Sand durchrinnt Fäll.
hellt so allhier vergehet wie
Freud nicht bestehet Wind
bellt um und um hie
Neid unsers Lebens Ruhm sind
Blut Ach! der blasse Tod Pracht
Mut ist ein Bot Macht.
frisch wohl bezüglet Zeit
steht und gar schnell geflüglet alt
risch gibet uns gar schlechte Frist; scheid
geht; uns zu fällen sich stets rüst. bald
hier Heut vor abends droht er mir leid
Hohn Morgen kommet er und klopft deine Tür. Freud;
Zwier Es hilft kein Gewalt, es hilft nicht d'Pracht Feind.
Lohn * Schön, klug, reich und stark jener nur verlacht. * Freund.
Drum, Mensch, bedenk es wohl, bleib wachsam und gerüst:
Klug sein und nicht viel Jahr die Ehr des Alters ist.

JOHANN HELWIG

Ein Gauckel-Spiel der Welt

Als Mons. Georg Albrecht von Osterhausen
Den 15. Novembr. 1672.
De RATIONE STATUS
Eine Deutsche Rede hielt.

Ein Gauckel-Spiel der Welt / ein Rätzel der Gelehrten /
Der Frommen Auffenthalt / die Zuflucht der Verkehrten /
Der Klugheit Meister-Stück / ein rechtes Wunderthier /
Stellt unser Saal-Athen in einem Bilde für.
Es heist Raison d'Estat: Ein weltbekandter Nahmen /
Dazu Jtalien zwar unlängst seinen Samen
Erst eingeworffen hat; Doch was er in sich hält /
Dasselbe wuste man schon in der alten Welt.
Das Wasser hatte noch den Noah nicht vertrieben /
Da stund die Klugheit schon den Helden eingeschrieben
Und nahm den Staat in acht: wie mancher kam hervor
Und schwang die Majestät in seiner Stadt empor?
Wie mancher lernte sich vor einem Jäger bücken /
Der einen höltzern Stab von außgebranten Stücken
An statt des Zepters trug / und doch ein fester Band
Der Demuth und der Treu bey seinen Bürgern fand /
Als ietzt da Gold regiert? Wolan von solchen Sachen
Wil hier ein Edler Sohn beliebte Worte machen;
Das kluge Wunderwerck / der Nahme / dessen Schein
Die Völcker stutzig macht / sol seine Losung seyn.
Nehmt alles günstig an: er kan es nicht verneinen /
Die Hoheit wird noch nicht in seinem Mund erscheinen /

Die sich zur Sache schickt: Die Fragen gehn zu weit /
Des Zweiffels ist zu viel / daß seine Blödigkeit
Dabey verzagen muß. Jnzwischen lacht die Güte /
Dadurch Jhr kundbar seyd / die tröstet sein Gemüthe
Und heist ihn kühner seyn / daß eh er sich bemüht
Jn dieses Meer zu gehn /schon in den Hafen sieht.
Wiewol ich fürchte mich / es möchte nicht bey allen /
Dahin die Vorschrifft kömmt / ein gleiches Urtheil fallen:
Jch hab es offt gehört/ man soll' in Schulen nicht
Auff solche Sachen gehn; indem der Unterricht
Uns all zu wichtig sey / und wenig Nutzen brächte
Die Jugend hätte Zeit / daß sie daran gedächte /
Wenn sie den Grund gelegt / da gieng es leichtlich an
Und da wär aller Fleiß mit kurtzer Müh gethan.
Nun wol es sey also / wir müssen dieß gestehen /
Wir sollen zuvor aus auff Kunst und Sprachen gehen:
Jedoch was nützet uns das bloße Wörter-Spiel /
Wo keine Sachen sind davon man reden wil?
Es kömmt mir eben vor / als einer der im Singen
Sein künstlich Meister-Recht nicht kan zu Marckte bringen /
Weil er die Noten zwar mit ihren Wesen wol
Zu unterscheiden weiß; doch wenn er singen sol
Sich auff kein Lied besinnt. Wir reden / was wir wissen /
Und wer nichts lernen sol / der muß von Welschen Nüssen
Die Redens-Probe thun / die kennt ein iederman /
So daß er ihren Preiß gar leicht beschreiben kan.

Mich dünckt / es sey mein Ampt die Jugend an zu führen /
Damit sie dermaleins dieselben Stände zieren /

Darzu sie GOTT versehn: Drumb nehm ich mich in acht /
Wie man bey guter Zeit den Anfang glücklich macht.
Und so wird nichts versäumt. Ein Adler führt die Jungen /
So bald ihr sprödes Ey vom Federn abgesprungen /
Der hellen Sonnen zu / da werden sie gehegt /
Biß ihrer Augen Krafft das höchste Licht erträgt.
So muß ein Edelman der Tapferkeit gewohnen /
Er darff die Jugend nicht von aller Müh verschonen
Dadurch er Edel wird: es muß gar bald geschehn /
Und wer nicht in der Zeit lernt an die Sonne sehn
Eh er zum Adler wird / der bleibet wol darhinden /
Und muß er vor dem Glantz der Klugheit nicht verblinden /
So überkömmt er doch ein blödes Angesicht /
Und wagt sich an den Strahl des hellen Himmels nicht.

Nechst diesem scheint es auch / als werd es übel kommen /
Daß wir ein deutsches Wort zur Ubung angenommen /
Da doch kein Ackermann bey seinem Pfluge geht /
Kein Weib so niedrig ist / die solches nicht versteht.
Wir solten uns vielmehr zu jener Axt bekennen /
So die Gelehrten stets die Mutter-Sprache nennen /
Darinnen Cicero / das Wunder seiner Stadt /
Den unverwelckten Krantz bißher geschützet hat.
Doch eben Cicero hat uns hierzu bewogen /
Er hatte sein Latein bald mit der Milch gesogen /
Und gleichwol sann er nach / in halber Furcht und Scham /
Biß er durch langer Müh zu diesem Grieffe kam /
Der unvergleichlich scheint. Wolan ihr Deutschen dencket /
Die Sprache wird euch nicht aus freyer Lufft geschencket /
Hier sitzt die Königin / und hat die schönste Pracht /

Mit aller Liebligkeit / um Arbeit feil gemacht.
AUGUST der Sachsen Held / der in dem Palmen Orden
Ein Mit-Glied und hernach ein solcher Schutz-Gott
worden
Wie Ludwig vor der Zeit / nach diesem Wilhelm war /
Der reicht uns Licht und Lust zu unserm Fleiße dar.
Wolan es ist gewagt. Wir hoffen von den meisten /
Sie werden uns geneigt ein kurtz Gehöre leisten /
Und trifft uns dieser Wunsch in seiner Hoffnung ein /
So wollen wir mit Danck und Dienst verbunden seyn.

CHRISTIAN WEISE

Der Wechsel menschlicher Sachen

A*uf* Nacht / Dunst / Schlacht / Frost / Wind / See / Hitz / Süd / Ost / West / Nord / Sonn / Feur und *Plagen* /
Folgt Tag / Glantz / Blutt / Schnee / Still / Land / Blitz / Wärmd / Hitz / Lust / Kält / Licht / Brand und *Noth*:
Auf Leid / Pein / Schmach / Angst / Krig / Ach / Kreutz / Streit / Hohn / Schmertz / Qual / Tükk / Schimpf / als *Spott* /
Wil Freud / Zir / Ehr / Trost / Sig / Rath / Nutz / Frid / Lohn / Schertz / Ruh / Glükk / Glimpf / stets *tagen*.
Der Mond / Glunst / Rauch / Gems / Fisch / Gold / Perl / Baum / Flamm / Storch / Frosch / Lamm / Ochs / und *Magen*
Libt Schein / Stroh / Dampf / Berg / Flutt / Glutt / Schaum / Frucht / Asch / Dach / Teich / Feld / Wiß / und *Brod*:
Der Schütz / Mensch / Fleiß / Müh / Kunst / Spil / Schiff / Mund / Printz / Rach / Sorg / Geitz / Treu / und *GOtt* /
Suchts Zil / Schlaff / Preiß / Lob / Gunst / Zank / Port / Kuß / Thron / Mord / Sarg / Geld / Hold / *Danksagen*
Was Gutt / stark / schwer / recht / lang / groß / Weiß / eins / ja / Lufft / Feur / hoch / weit *genennt* /
Pflegt Böß / schwach / leicht / krum / breit / klein / schwarz / drei / Nein / Erd / Flutt / tiff / nah / *zumeiden* /
Auch Mutt / lib / klug / Witz / Geist / Seel / Freund / Lust / Zir / Ruhm / Frid / Schertz / Lob muß *scheiden* /
Wo Furcht / Haß / Trug / Wein / Fleisch / Leib / Feind / Weh / Schmach / Angst / Streit / Schmertz / Hohn *schon rennt*

Alles wechselt ; alles libet ; alles scheinet was zu hassen:
Wer nur disem nach wird=denken / muß di Menschen Weißheit fassen.

QUIRINUS KUHLMANN

Nur der Kampf macht uns Vergnügen

Nur der Kampf macht uns Vergnügen, nicht aber der Sieg: gern sieht man dem Kampf der Tiere zu, aber nicht dem Wüten des Siegers über den Besiegten. Was wollte man denn sonst sehen, wenn nicht dies Ende des Sieges? Und kaum ist er entschieden, hat man es satt. Ebenso ist es beim Spiel. Ebenso beim Erforschen der Wahrheit. Man liebt den Kampf der Meinungen im Wortstreit, nicht aber die gefundene Wahrheit zu bedenken; will man, daß man sie mit Anteilnahme beachtet, muß man sie im Wortstreit entstehn lassen. Gleiches gilt für die Leidenschaften; man hat Vergnügen daran, dem Kampf gegensätzlicher Leidenschaften zuzusehen, hat aber die eine die Herrschaft gewonnen, so ist sie nur noch Begierde.

Wir suchen niemals die Dinge, sondern das Suchen nach ihnen. So taugen im Theater weder die ruhigen Szenen ohne Spannung etwas, noch das außerordentliche und hoffnungslose Elend, noch die tierische Liebe, noch die erbarmungslose Härte.

BLAISE PASCAL

Die 47. Ode Anakreons

Alter tanze! Wenn du tanzest,
Alter, so gefällst du mir!
Jüngling, tanze! Wenn du tanzest,
Jüngling, so gefällst du mir.

Alter, tanze, trotz den Jahren,
Die die Schwachheit an sich reißt.
So recht! Du bist grau an Haaren,
Blühend aber ist dein Geist!

Nachahmung dieser Ode

Jüngling, lebst du nicht in Freuden,
Jüngling, o, so haß' ich dich!
Alter, lebst du nicht in Freuden,
Alter, o so haß' ich dich!

Jüngling, trauerst du in Jahren,
Wo die Pflicht sich freuen heißt?
Schäme dich! so frisch an Haaren,
Jüngling, aber schwach an Geist!

GOTTHOLD EPHRAIM LESSING

Mich verwirren will das Irren

Mich verwirren will das Irren;
Doch du weißt mich zu entwirren.
Wenn ich handle, wenn ich dichte,
Gib du meinem Weg die Richte.

Ob ich Ird'sches denk' und sinne,
Das gereicht zu höherem Gewinne.
Mit dem Staube nicht der Geist zerstoben,
Dringet, in sich selbst gedrängt, nach oben.

Im Atemholen sind zweierlei Gnaden:
Die Luft einziehn, sich ihrer entladen;
Jenes bedrängt, dieses erfrischt;
So wunderbar ist das Leben gemischt.
Du danke Gott, wenn er dich preßt,
Und dank ihm, wenn er dich wieder entläßt.

Sisyphus

Auch noch hier nicht in Ruh, du Unglückselger! Noch immer
Rollst du bergauf wie einst, da du regiertest, den Stein.

Du machst die Alten jung

Du machst die Alten jung die Jungen alt
Die Kalten warm, die Warmen kalt
Bist ernst im Scherz, der Ernst macht dich zu lachen,
Dir gab aufs menschliche Geschlecht
Ein süßer Gott sein längst bewährtes Recht
Aus Weh ihr Wohl, aus Wohl ihr Weh zu machen.

Malchen Hendrich

In deinem Herzen
Ist nicht viel Platz,
Drum alle acht Tage
Einen neuen Schatz.

JOHANN WOLFGANG GOETHE

Das Spiel des Lebens

Wollt ihr in meinen Kasten sehn?
Des Lebens Spiel, die Welt im kleinen,
Gleich soll sie eurem Aug' erscheinen;
Nur müßt ihr nicht zu nahe stehn,
Ihr müßt sie bei der Liebe Kerzen
Und nur bei Amors Fackel sehn.

Schaut her! Nie wird die Bühne leer,
Dort bringen sie das Kind getragen,
Der Knabe hüpft, der Jüngling stürmt einher,
Es kämpft der Mann, und alles will er wagen.

Ein jeglicher versucht sein Glück,
Doch schmal nur ist die Bahn zum Rennen,
Der Wagen rollt, die Achsen brennen,
Der Held drängt kühn voran, der Schwächling
bleibt zurück,
Der Stolze fällt mit lächerlichem Falle,
Der Kluge überholt sie alle.

Die Frauen seht ihr an den Schranken stehn,
Mit holdem Blick, mit schönen Händen
Den Dank dem Sieger auszuspenden.

FRIEDRICH SCHILLER

Überall werden im historischen Bildersaal der Welt

Überall werden im historischen Bildersaal der Welt aus den größten Wolken kleine, aus den kleinsten große – um die größten Sterne des Lebens ziehen sich dunkle Höfe – und nur der verhüllte Gott kann aus dem Spiel des Lebens und der Geschichte einen Ernst erschaffen.

Jedes Spiel ist eine Nachahmung des Ernstes

Jedes Spiel ist eine Nachahmung des Ernstes, jedes Träumen setzt nicht nur ein vergangenes Wachen, auch ein künftiges voraus. Der Grund wie der Zweck eines Spiels ist keines; um Ernst, nicht um Spiel wird gespielt. Jedes Spiel ist bloß die sanfte Dämmerung, die von einem überwundenen Ernst zu seinem höhern führt.

JEAN PAUL

Aussicht

Der offne Tag ist Menschen hell mit Bildern,
Wenn sich das Grün aus ebner Ferne zeiget,
Noch eh des Abends Licht zur Dämmerung sich neiget,
Und Schimmer sanft den Klang des Tages mildern.
Oft scheint die Innerheit der Welt umwölkt, verschlossen,
Des Menschen Sinn von Zweifeln voll, verdrossen,
Die prächtige Natur erheitert seine Tage
Und ferne steht des Zweifels dunkle Frage.

Mit Untertänigkeit
Scardanelli.

Den 24. März 1671

Und mitzufühlen das Leben

Und mitzufühlen das Leben
Der Halbgötter oder Patriarchen, sitzend
zu Gericht. Nicht aber überall ists
Ihnen gleich um diese, sondern Leben, summendheißes
auch von Schatten Echo
Als in einen Brennpunkt
Versammelt. Goldne Wüste. Oder wohlunterhalten dem
Feuerstahl des lebenswarmen
Herds gleich schlägt dann die Nacht Funken, aus
geschliffnem Gestein
Des Tages, und um die Dämmerung noch
Ein Saitenspiel tönt. Gegen das Meer zischt

Der Knall der Jagd. Die Ägypterin aber, offnen Busens sitzt
Immer singend wegen Mühe gichtisch das Gelenk
Im Wald, am Feuer. Recht Gewissen bedeutend
Der Wolken und der Seen des Gestirns
Rauscht in Schottland wie an dem See
Lombardas dann ein Bach worüber. Knaben spielen
Perlfrischen Lebens gewohnt so um Gestalten
Der Meister, oder der Leichen, oder es rauscht so um der
Türme Kronen
Sanfter Schwalben Geschrei.

Nein wahrhaftig der Tag
Bildet keine
Menschenformen. Aber erstlich
Ein alter Gedanke, Wissenschaft
Elysium.

FRIEDRICH HÖLDERLIN

Astralis

An einem Sommermorgen ward ich jung
Da fühlt ich meines eignen Lebens Puls
Zum erstenmal – und wie die Liebe sich
In tiefere Entzückungen verlohr,
Erwacht' ich immer mehr und das Verlangen
Nach innigerer gänzlicher Vermischung
Ward dringender mit jedem Augenblick.
Wollust ist meines Daseyns Zeugungskraft.
Ich bin der Mittelpunkt, der heilge Quell,
Aus welchem jede Sehnsucht stürmisch fließt
Wohin sich jede Sehnsucht, mannichfach
Gebrochen wieder still zusammen zieht.
Ihr kennt mich nicht und saht mich werden –
Wart ihr nicht Zeugen, wie ich noch
Nachtwandler mich zum ersten Male traf
An jenem frohen Abend? Flog euch nicht
Ein süßer Schauer der Entzündung an? –
Versunken lag ich ganz in Honigkelchen.
Ich duftete, die Blume schwankte still
In goldner Morgenluft. Ein innres Quellen
War ich, ein sanftes Ringen, alles floß
Durch mich und über mich und hob mich leise.
Da sank das erste Stäubchen in die Narbe,
Denkt an den Kuß nach aufgehobnen Tisch.
Ich quoll in meine eigne Fluth zurück –
Es war ein Blitz – nun konnt ich schon mich regen,
Die zarten Fäden und den Kelch bewegen,
Schnell schossen, wie ich selber mich begann,

Zu irrdischen Sinnen die Gedanken an.
Noch war ich blind, doch schwankten lichte Sterne
Durch meines Wesens wunderbare Ferne,
Nichts war noch nah, ich fand mich nur von weiten,
Ein Anklang alter, so wie künftger Zeiten.
Aus Wehmuth, Lieb' und Ahndungen entsprungen
War der Besinnung Wachsthum nur ein Flug,
Und wie die Wollust Flammen in mir schlug,
Ward ich zugleich vom höchsten Weh durchdrungen.
Die Welt lag blühend um den hellen Hügel,
Die Worte des Profeten wurden Flügel,
Nicht einzeln mehr nur Heinrich und Mathilde
Vereinten Beide sich zu Einem Bilde. –
Ich hob mich nun gen Himmel neugebohren,
Vollendet war das irrdische Geschick
Im seligen Verklärungsaugenblick,
Es hatte nun die Zeit ihr Recht verlohren
Und forderte, was sie geliehn, zurück.

Es bricht die neue Welt herein
Und verdunkelt den hellsten Sonnenschein,
Man sieht nun aus bemooßten Trümmern
Eine wunderseltsame Zukunft schimmern
Und was vordem alltäglich war
Scheint jetzo fremd und wunderbar.
›Eins in allem und alles im Einen
Gottes Bild auf Kräutern und Steinen
Gottes Geist in Menschen und Thieren,
Dies muß man sich zu Gemüthe führen.
Keine Ordnung mehr nach Raum und Zeit

Hier Zukunft in der Vergangenheit[.]‹
Der Liebe Reich ist aufgethan
Die Fabel fängt zu spinnen an.
Das Urspiel jeder Natur beginnt
Auf kräftige Worte jedes sinnt
Und so das große Weltgemüth
Überall sich regt und unendlich blüht.
Alles muß in einander greifen
Eins durch das Andre gedeihn und reifen;
Jedes in Allen dar sich stellt
Indem es sich mit ihnen vermischet
Und gierig in ihre Tiefen fällt
Sein eigenthümliches Wesen erfrischet
Und tausend neue Gedanken erhält.
Die Welt wird Traum, der Traum wird Welt
Und was man geglaubt, es sey geschehn
Kann man von weiten erst kommen sehn.
Frey soll die Fantasie erst schalten,
Nach ihrem Gefallen die Fäden verweben
Hier manches verschleyern, dort manches entfalten,
Und endlich in magischen Dunst verschweben.
Wehmuth und Wollust, Tod und Leben
Sind hier in innigster Sympathie –
Wer sich der höchsten Lieb' ergeben,
Genest von ihren Wunden nie.
Schmerzhaft muß jenes Band zerreißen
Was sich ums innre Auge zieht,
Einmal das treuste Herz verwaisen,
Eh es der trüben Welt entflieht.
Der Leib wird aufgelöst in Thränen,

Zum weiten Grabe wird die Welt,
In das, verzehrt von bangen Sehnen,
Das Herz, als Asche, niederfällt.

NOVALIS

Sprich aus der Ferne

Sprich aus der Ferne
Heimliche Welt,
Die sich so gerne
Zu mir gesellt.

Wenn das Abendrot niedergesunken,
Keine freudige Farbe mehr spricht,
Und die Kränze stilleuchtender Funken
Die Nacht um die schattigte Stirne flicht:

Wehet der Sterne
Heiliger Sinn
Leis durch die Ferne
Bis zu mir hin.

Wenn des Mondes still lindernde Tränen
Lösen der Nächte verborgenes Weh;
Dann wehet Friede. In goldenen Kähnen
Schiffen die Geister im himmlischen See.

Glänzender Lieder
Klingender Lauf
Ringelt sich nieder,
Wallet hinauf.

Wenn der Mitternacht heiliges Grauen
Bang durch die dunklen Wälder hinschleicht,
Und die Büsche gar wundersam schauen,
Alles sich finster tiefsinnig bezeugt:

Wandelt im Dunkeln
Freundliches Spiel,
Still Lichter funkeln
Schimmerndes Ziel.

Alles ist freundlich wohlwollend verbunden,
Bietet sich tröstend und traurend die Hand,
Sind durch die Nächte die Lichter gewunden,
Alles ist ewig im Innern verwandt.

Sprich aus der Ferne
Heimliche Welt,
Die sich so gerne
Zu mir gesellt.

CLEMENS BRENTANO

Hier liegt ein Spielmann begraben

Mündlich

Guten Morgen Spielmann,
Wo bleibst du so lang?«
Da drunten, da droben,
Da tanzten die Schwaben,
Mit der kleinen Killekeia,
Mit der großen Kum Kum.

Da kamen die Weiber
Mit Sichel und Scheiben,
Und wollten den Schwaben
Das Tanzen vertreiben,
Mit der kleinen Killekeia,
Mit der großen Kum Kum.

Da laufen die Schwaben
Und fallen in Graben,
Da sprechen die Schwaben:
Liegt ein Spielmann begraben,
Mit der kleinen Killekeia,
Mit der großen Kum Kum.

Da laufen die Schwaben,
Die Weiber nachtraben,
Bis über die Grenze,
Mit Sichel und Sense:

»Guten Morgen Spielleut,
Nun schneidet das Korn.«

DES KNABEN WUNDERHORN

Geh du nur hin!

Ich war auch jung und bin jetzt alt,
Der Tag ist heiß, der Abend kalt,
Geh du nur hin, geh du nur hin,
Und schlag dir solches aus dem Sinn.

Du steigst hinauf, ich steig hinab,
Wer geht im Schritt, wer geht im Trab?
Sind dir die Blumen eben recht,
Sind doch sechs Bretter auch nicht schlecht.

ADELBERT VON CHAMISSO

Frühlingsfahrt

Es zogen zwei rüst'ge Gesellen
Zum erstenmal von Haus,
So jubelnd recht in die hellen,
Klingenden, singenden Wellen
Des vollen Frühlings hinaus.

Die strebten nach hohen Dingen,
Die wollten, trotz Lust und Schmerz,
Was Rechts in der Welt vollbringen,
Und wem sie vorübergingen,
Dem lachten Sinnen und Herz. –

Der erste, der fand ein Liebchen,
Die Schwieger kauft' Hof und Haus;
Der wiegte gar bald ein Bübchen,
Und sah aus heimlichem Stübchen
Behaglich ins Feld hinaus.

Dem zweiten sangen und logen
Die tausend Stimmen im Grund,
Verlockend' Sirenen, und zogen
Ihn in der buhlenden Wogen
Farbig klingenden Schlund.

Und wie er auftaucht' vom Schlunde,
Da war er müde und alt,
Sein Schifflein das lag im Grunde,
So still war's rings in die Runde,
Und über die Wasser weht's kalt.

Es singen und klingen die Wellen
Des Frühlings wohl über mir;
Und seh ich so kecke Gesellen,
Die Tränen im Auge mir schwellen –
Ach Gott, führ uns liebreich zu Dir!

JOSEPH VON EICHENDORFF

Nun ist es Zeit

Nun ist es Zeit, daß ich mit Verstand
Mich aller Torheit entled'ge;
Ich hab so lang als ein Komödiant
Mit dir gespielt die Komödie.

Die prächt'gen Kulissen, sie waren bemalt
Im hochromantischen Stile,
Mein Rittermantel hat goldig gestrahlt,
Ich fühlte die feinsten Gefühle.

Und nun ich mich gar säuberlich
Des tollen Tands entled'ge,
Noch immer elend fühl ich mich,
Als spielt ich noch immer Komödie.

Ach Gott! im Scherz und unbewußt
Sprach ich, was ich gefühlet;
Ich hab mit dem Tod in der eignen Brust
Den sterbenden Fechter gespielet.

Zu fragmentarisch ist Welt und Leben

Zu fragmentarisch ist Welt und Leben!
Ich will mich zum deutschen Professor begeben.
Der weiß das Leben zusammenzusetzen,
Und er macht ein verständlich System daraus;
Mit seinen Nachtmützen und Schlafrockfetzen
Stopft er die Lücken des Weltenbaus.

Ich habe verlacht

Ich habe verlacht, bei Tag und bei Nacht,
So Männer wie Frauenzimmer,
Ich habe große Dummheiten gemacht –
Die Klugheit bekam mir noch schlimmer.

Die Magd ward schwanger und gebar –
Wozu das viele Gewimmer?
Wer nie im Leben töricht war,
Ein Weiser war er nimmer.

HEINRICH HEINE

Der Spiegel an seinen Besitzer

Im Unwillen über eines der Kinder (die Fanny war verdrießlich, ihre Übungen am Klavier zu machen) hatte ich meinen kleinen Spiegel durch einen heftigen Stoß beschädigt. Der Treff ging gerade auf den untern Teil beim Rahmen, und zwar genau auf die Mitte, so daß von diesem Punkt aus sieben Sprünge radienförmig nach allen Seiten liefen. Um das Glas zusammenzuhalten, klebte ich unten, hart am Rand, ein halbiertes Scheibchen Papier darauf, von dessen Peripherie nunmehr die schönen Strahlen ausgehen.

Hier sieht man eine Sonn' mit wunderbaren Strahlen,
Doch steht es dir nicht an, mit diesem Werk zu prahlen.
Mein ganz unschuldig Glas, das du im Zorn zerschellt,
Weist dir nun dein Gesicht zum Lasterbild entstellt.
Darum bedenk, o Mensch, so oft du dich rasierst,
Wie du mit Sanftmut dich im Lauf des Tages zierst!

EDUARD MÖRIKE

Das Schiff

Einsam auf blauer Wasserwüste
Ein segelweißes Schiff sich wiegt,
Was trieb es fort von heim'scher Küste,
Daß es zu fremden Landen fliegt?

Ihm schnaubt die Flut, der Sturm entgegen,
Bald kracht es vorwärts, bald zurück –
Es sucht kein Glück auf fremden Wegen,
Ließ in der Heimat auch kein Glück.

Die Wasser unter ihm sich türmen,
Durch Wolken sieht die Sonne zu,
Es läßt sich schaukeln von den Stürmen,
Als fänd' es in den Stürmen Ruh.

MICHAIL LERMONTOW

Maskerade

1. An die Fischerin
Nicht mehr stelle dein Netz von jetzt an den zappelnden Fischen,
Schütte die kleinen heraus, liebliche Fischerin du.
Wirf dein seidenes Garn, und Männer und Jünglinge ziehe
Bald in Scharen heran; schöner fürwahr ist der Fang.

2. An das Blumenmädchen
Blumen gnug im Korb, um Herz und Aug zu erfreuen;
Aber das lieblichste fehlt, bist du nicht selber darin.

3. An eine weibliche Maske
Sprich, wer bist du schlanke Gestalt in der flüchtigen Maske,
Zähl ich den Grazien dich, zähl ich den Musen dich bei? –
Aber die Göttinnen waren aus Erz und kaltem Gesteine;
Und in der marmornen Brust klopfte kein fühlendes Herz.

4. An den Zuschauer
Komm in den Saal herab; was schaust du so müßig ins Bunte!
Narrheit scheint dir die Lust, bist du nicht selber darin.

5. An eine Kokette
Schwäne kommen, Schwäne ziehen
Zu der schönen Blum hinan,
Blume lächelt allen freundlich,
Schmieget keinem ganz sich an.

Als der Blume Duft verhauchet,
Zogen alle Schwäne fort.
Denke an die schwarze Maske,
Blume blieb allein am Ort.

6. Nähere Erklärung an einen Blumenritter
Schwäne waren so lose Schwäne,
Trieben rings mit den Blumen Spiel,
So mit der Lilie, so mit der Rose.
's gibt solch loser Schwäne gar viel.

Schwäne singen so süße Lieder,
Schöne Blume ist nicht taub;
Und bei Lied und Schmeichelklange
Naschen sie Duft und Blütenstaub.

Und der goldne Schmelz entschwindet
Leise beim Kosen der lüsternen Schar;
Schmetterling der treue Buhle
Senkt sein blaues Flügelpaar.

Darf sich nicht der Blume nahen,
Fürchtet der Schwäne stolz' Geschlecht.
Blume gehört doch den Schmetterlingen!
Hat die schwarze Maske Recht?

7. An eine anerkannte Schauspielerin
Was du auch immer gespielt, stets bist du es wirklich gewesen:
Lege die Maske bei Seit; ihrer bedurftest du nie.

THEODOR STORM

Rückblick

Es geht zu End', und ich blicke zurück.
Wie war mein Leben? wie war mein Glück?

Ich saß und machte meine Schuh;
Unter Lob und Tadel sah man mir zu.

»Du dichtest, das ist das Wichtigste ...«
»Du dichtest, das ist das Nichtigste.«

»Wenn Dichtung uns nicht zum Himmel trüge ...«
»Phantastereien, Unsinn, Lüge!«

»Göttlicher Funke, Prometheusfeuer ...«
»Zirpende Grille, leere Scheuer!«

Von hundert geliebt, von tausend mißacht't,
So hab' ich meine Tage verbracht.

Mein Leben

Mein Leben, ein Leben ist es kaum,
Ich geh' durch die Straßen als wie im Traum.

Wie Schatten huschen die Menschen hin,
Ich selber ein Schatten dazwischen bin.

Und im Herzen tiefe Müdigkeit –
Alles mahnt mich: Es ist Zeit!

Drehrad

Heute, Sonntag, hat einer ein Lied gedichtet,
Morgen, Montag, wird wer hingerichtet,
Dienstag verdirbt sich ein Prinz den Magen,
Mittwoch wird eine Schlacht geschlagen,
Donnerstag habe ich Skatpartie,
Freitag stirbt ein Kraftgenie,
Samstag wird überall eingebrochen,
Und so geht es durch viele Wochen:
Bilder, blaue, rote, gelbe,
Aber der Inhalt bleibt derselbe.

Was ich wollte, was ich wurde

Was ich mal *wollte*, was ich mal wurde,
Manchmal grenzt es ans Absurde.
Sprachen sprechen, tutti quanti,
Wollt' ich à la Mezzofanti,
Reisen zum Chan, zu zwei'n oder solo,
Wollt' ich mindestens wie Marco Polo.
Dazu dichten im Stile Dantes,
Prosa schreiben wie Cervantes.
Und gemäß dem Schillerschen »Blonden«
Mein Aug' erheben zu Kunigonden.
In Dichtung, in Liebe, wie die meisten,
Wünscht' ich Erhebliches zu leisten.

All das wollt' ich. Aber zur Zeit,
Ach, wie bin ich davon so weit!
Leben zwingt uns die Segel zu reffen,
Sechse treffen, sieben äffen.
Sprachen? An »comment vous portez-vous«
Reiht sich schüchtern »how do you do«.
Reisen? Ach, zwischen Treptow und Stralau
Fährt mein Kahn. Den Rest tut Kalau.
Aus den erträumten Orgelakkorden
Ist ein Tipptipp am Spinett geworden,
Im günstigsten Fall ein Klimperstück –
Und dabei spricht man noch von Glück!

Summa Summarum

Eine kleine Stellung, ein kleiner Orden
(Fast wär' ich auch mal Hofrat geworden),
Ein bißchen Namen, ein bißchen Ehre,
'ne Tochter »geprüft«, ein Sohn im Heere,
Mit siebzig 'ne Jubiläumsfeier,
Artikel im Brockhaus und im Meyer.
Altpreußischer Durchschnitt. Summa summarum,
Es dreht sich alles um Lirum larum,
Um Lirum larum Löffelstiel,
Alles in allem, es war nicht viel.

THEODOR FONTANE

Der schlechte Mönch

Die Klöster brachten einst auf ihren großen Wänden
Die heilge Wahrheit in Gemälden zu Gesicht.
Sie sollten frommen Eingeweiden Wärme spenden
Und mäßigen den Frost der strengen Ordenspflicht.

Damals, als Christi Saat noch sproßte allerenden,
Schmückt' manch erlauchter Mönch, von dem heut
niemand spricht,
Den Leichenacker aus mit den geschickten Händen
Und feierte den Tod ganz einfältig und schlicht.

– Auch Seele ist mein Grab, in dem ich hause,
Ich schlechter Zönobit, und wandre ewiglich;
Doch nichts verschönt die Wand der widerwärtgen Klaus.

O nichtsnutziger Mönch! Wann endlich mache ich
Das arme Trauerspiel von meinem trüben Leide
Zu meiner Hände Werk und meiner Augen Weide?

CHARLES BAUDELAIRE

Nach dem Ball

Sie sagen, daß der Mensch von selbst nicht erkennen könne, was gut und was böse sei, daß alles auf seine Umgebung ankomme, daß das Milieu den Charakter bilde. Ich glaube aber, alles ist nur Zufall. Da kann ich von mir selbst erzählen ...«

So redete der von uns allen hoch verehrte Iwan Wasiljewitsch nach einem Gespräch darüber, daß eine sittliche Besserung des einzelnen nur möglich sei, wenn die Verhältnisse geändert würden, unter denen die Menschen leben. Eigentlich hatte niemand behauptet, daß der Mensch nicht fähig sei, selbst zu erkennen, was gut und was böse sei, aber Iwan Wasiljewitsch hatte nun einmal die Gewohnheit, seine eigenen, im Laufe des Gesprächs auftauchenden Gedanken zu beantworten und im Anschluß an diese Gedanken allerlei Selbsterlebtes zu erzählen. Oft vergaß er völlig den Anlaß zu seiner Erzählung, weil diese selbst ihn hinriß, und das um so mehr, weil er stets sehr aufrichtig war und immer die Wahrheit sagte.

So war es auch jetzt.

»Ich kann mich da auf mich selbst berufen. Mein ganzes Leben hat sich so und nicht anders gestaltet, nicht weil meine Umgebung bestimmend einwirkte, sondern aus ganz andern Gründen.«

»Aus welchen denn?« fragten wir.

»Ja, das ist eine lange Geschichte. Damit Sie es verstehen, müßte ich sehr viel erzählen.«

»Nun, so erzählen Sie doch.«

Iwan Wasiljewitsch schüttelte nachdenklich den Kopf:

»Ja«, sagte er, »mein ganzes Leben wurde anders infolge einer einzigen Nacht, richtiger eines Morgens.«

»Wie kam denn das?«

»Das kam daher, weil ich leidenschaftlich verliebt war. Ich war oft verliebt gewesen, aber das war meine stärkste Leidenschaft. Das alles liegt weit zurück; sie hat jetzt schon verheiratete Töchter. Es war Fräulein B., ja, Warenka B.« – Iwan Wasiljewitsch nannte den Namen –; »Sie war auch noch mit fünfzig Jahren eine auffallende Schönheit, in der Jugend aber, so mit achtzehn, war sie ganz entzückend: groß, schlank, graziös und würdevoll – jawohl, würdevoll! Sie hielt sich immer sehr gerade, als könnte sie gar nicht anders, und warf dabei den Kopf ein wenig zurück. Und gerade diese Haltung verlieh ihr bei ihrer Schönheit und ihrem hohen Wuchs, obgleich sie recht mager, ja sogar knochig war, etwas Majestätisches, das vielleicht hätte abschrecken können, wäre nicht das freundliche, immer heitere Lächeln gewesen, das um ihren Mund, um die herrlichen, blitzenden Augen, ja um ihr ganzes holdes, junges Wesen spielte!«

»Wie der Iwan Wasiljewitsch das ausmalt!«

»Ach was, malen kann ich, soviel ich will, Sie werden doch nie begreifen, wie schön sie war, aber darauf kommt es auch gar nicht an. Was ich Ihnen jetzt erzählen möchte, hat sich in den vierziger Jahren abgespielt. Ich war damals Student an der Universität einer Provinzstadt. Ich weiß nicht, ob das gut oder schlecht war, aber zu jener Zeit gab es an unserer Universität keine literarischen und philosophischen Zirkel, wir gaben uns nicht mit Theorien ab, sondern waren einfach jung und lebten so, wie es der

Jugend zukommt: Wir lernten und waren lustig. Ich war ein sehr flotter, toller Bursche, zudem auch sehr reich. Ich hatte einen prächtigen Gaul, einen Paßgänger, rodelte mit den jungen Damen (Schlittschuhe waren damals noch nicht Mode), zechte mit den Kommilitonen (wir tranken damals ausschließlich Champagner; hatten wir kein Geld, so tranken wir gar nichts; nie aber tranken wir Schnaps, wie man das heute tut). Mein Hauptvergnügen waren Bälle und Gesellschaften. Ich war ein guter Tänzer und nicht gerade häßlich.«

»Seien Sie nicht zu bescheiden«, fiel ihm eine von den Damen ins Wort, »wir haben ja noch ein Daguerreotyp von Ihnen gesehen. Sie waren nicht nur nicht häßlich, sondern wirklich ein schöner junger Mann.«

»Schön oder nicht, darauf kommt es nicht an. Die Sache war nämlich die, daß ich in der Zeit meiner leidenschaftlichsten Verliebtheit am letzten Abend der Karnevalswoche einen Ball beim Gouvernements-Adelsmarschall, einem gutmütigen und gastfreundlichen, sehr reichen alten Kammerherrn, mitmachte. Die Gäste wurden von der ebenso gutmütigen Gattin des Hausherrn empfangen; sie erschien in einem Samtkleid, ein Brillantendiadem um die Stirn, die alten, fetten weißen Schultern und die Brust entblößt, wie ein Bildnis der Kaiserin Elisabeth. Der Ball war glänzend. Ein herrlicher Saal mit einer Galerie, auf der die berühmte Hauskapelle eines für seine Musikliebhaberei bekannten Gutsbesitzers sich hören ließ, ein vorzügliches Büfett und Champagner, der in Strömen floß. So gern ich sonst Champagner trank, verzichtete ich diesmal fast ganz darauf, denn ich war auch ohne

Wein schon berauscht, berauscht von meiner Liebe; dafür tanzte ich aber auch bis zum Umfallen Walzer und Polka, natürlich, soweit es irgend möglich war, mit Warenka. Sie hatte ein weißes Kleid mit einem rosa Gürtel, weiße Glacéhandschuhe, die nicht ganz bis an die mageren, spitzen Ellbogen reichten, und weiße Atlasschuhe. Zur Mazurka entführte sie mir der widerliche Ingenieur Anisimow – ich kann es ihm bis auf den heutigen Tag nicht verzeihen! Er hatte sie schon engagiert, als sie eben erst den Saal betreten hatte; ich aber war etwas zu spät gekommen, weil ich meine Handschuhe beim Friseur abholen mußte. Die Mazurka tanzte ich also nicht mit ihr, sondern mit einer jungen Deutschen, der ich früher ein wenig den Hof gemacht hatte; ich fürchte aber, daß ich diesen Abend nicht sehr höflich gegen sie gewesen bin. Ich sprach kaum mit ihr, schenkte ihr keinen Blick, sondern sah immer nur die hohe, schlanke Gestalt im weißen Kleid mit dem rosa Gürtel und ihr strahlendes, leicht gerötetes Gesicht mit den Grübchen und den lieben, freundlichen Augen. Und nicht ich allein, alle sahen nach ihr und freuten sich an ihr, die Männer sowohl als die Frauen, obgleich sie doch alle in Schatten gestellt hatte. Man konnte nicht anders als sie bewundern.

Sozusagen offiziell tanzte ich also die Mazurka nicht mit ihr, in Wirklichkeit aber tanzte ich fast die ganze Zeit mit ihr. Ohne verlegen zu werden, ging sie durch den ganzen Saal gerade auf mich zu, und ich sprang auf, ohne erst eine Aufforderung abzuwarten, und sie dankte mir mit einem Lächeln für meinen Scharfsinn. Wenn man uns zu ihr hinführte und sie meinen Decknamen nicht erriet und ihre Hand dem anderen Kavalier reichte, zuckte sie mit den mageren Schultern und lächelte mich an, um gleichzeitig ihr Bedauern zu zeigen und mich zu trösten. Als die Mazurkatour kam, die im Walzerschritt getanzt wird, tanzte ich lange mit ihr, und sie sagte ganz außer Atem lächelnd zu mir: ›Encore‹, und ich drehte mich immer weiter und fühlte meinen Körper nicht.«

»Wie ist denn das möglich, wenn Sie ihre Taille umfaßt hielten? Sie haben wohl nicht nur den eignen, sondern auch ihren Körper sehr deutlich gefühlt, meine ich«, bemerkte einer der Gäste.

Iwan Wasiljewitsch wurde plötzlich ganz rot und sagte ärgerlich mit lauter, fast schreiender Stimme: »Ja, so seid ihr, die Jugend von heute. Außer dem Körper seht ihr nichts. Zu unserer Zeit war das anders. Je leidenschaftlicher ich verliebt war, desto unkörperlicher wurde sie für mich. Ihr seht heute die Füße, die Knöchel und noch allerlei, ihr zieht die Frauen, in die ihr verliebt seid, in Gedanken aus, für mich aber war, wie Alphonse Karr sagt – das war ein guter Schriftsteller –, die Geliebte immer in bronzene Gewänder gehüllt. Wir zogen sie nicht nur nicht aus, wir suchten, wie der fromme Sohn Noahs, die Blöße zu bedecken. Aber das versteht ihr ja nicht.«

»Kümmern Sie sich nicht um ihn. Was geschah weiter?« fragte einer von uns.

»Ja, ich tanzte also fast unausgesetzt mit ihr und merkte nicht, wie die Zeit verging. Die Musikanten spielten schon mit einer gewissen Verzweiflung der Müdigkeit – wie das gegen Schluß eines Balles immer ist – unaufhörlich das gleiche Mazurkamotiv, die Väter und Mütter erhoben sich in Erwartung des Abendessens schon von den Kartentischen in den Salons, die Diener liefen öfter hin und her und trugen allerlei durch den Saal. Es war nicht weit von drei Uhr. Man mußte die letzten Augenblicke ausnutzen. Ich engagierte sie noch einmal, und zum hundertsten Mal gingen wir durch den Saal.

›Nach dem Abendessen tanzen Sie die Quadrille mit mir‹, sagte ich zu ihr, als ich sie zu ihrem Platz führte.

›Selbstverständlich, wenn meine Eltern nicht nach Hause fahren‹, sagte sie lächelnd.

›Das erlaube ich nicht‹, sagte ich.

›Geben Sie mir doch meinen Fächer wieder‹, sagte sie.

›Ich möchte ihn gar nicht aus der Hand geben‹, sagte ich, ihr den weißen, billigen Fächer reichend.

›Nun, da haben Sie etwas zum Troste‹, sagte sie, riß eine Feder vom Fächer ab und reichte sie mir.

Ich nahm die Feder und konnte nur durch einen Blick mein ganzes Entzücken und meine Dankbarkeit ausdrükken. Ich war nicht nur froh und zufrieden, ich war glücklich, selig, ich war gut, ich war nicht mehr ich, ich war ein anderes, überirdisches Wesen, das nichts Böses wußte und nur zu guten Taten fähig war.

Ich schob die Feder in meinen Handschuh und stand da, unfähig, sie zu verlassen.

›Sehen Sie doch, Papa soll tanzen!‹ sagte sie und zeigte auf die hohe, stattliche Gestalt ihres Vaters, eines Obersten mit silbernen Epauletten, der mit einigen Damen in der Tür stand.

›Warenka, kommen Sie doch einmal her‹, vernahmen

wir die laute Stimme der Gastgeberin mit dem Brillantendiadem und den Schultern à la Elisabeth.

Warenka ging nach der Tür zu, ich folgte ihr.

›Überreden Sie doch Ihren Vater zu einer Tour mit uns, ma chère! Bitte, bitte, Peter Wladislawowitsch‹, sagte die alte Dame zum Oberst.

Warenkas Vater war ein sehr schöner, stattlicher, hochgewachsener, frischer alter Herr. Er hatte ein rosiges Gesicht, trug den weißen Schnurrbart à la Nikolaus I. gekräuselt, dazu einen ebenfalls weißen Backenbart, der mit dem Schnurrbart zusammenstieß, und die Schläfenhaare nach vorn gekämmt. Dasselbe heitere Lächeln, das der Tochter so schön zu Gesicht stand, spielte auch um seine leuchtenden Augen und die Lippen. Er war prachtvoll gebaut, die Brust breit und nach militärischer Art vorgewölbt, mit nicht allzu vielen Orden geschmückt, die Schultern kräftig und die Beine lang und schlank. Er war der Typus des alten Militärs aus der Schule Nikolaus' I.

Als wir uns der Tür näherten, hörten wir, wie der Oberst sich weigerte zu tanzen: er hätte es ganz verlernt. Dann aber legte er doch mit einem Lächeln die Hand an die linke Hüfte, zog den Degen aus dem Gehenk, gab ihn einem diensteifrigen jungen Mann ab, zog einen wildledernen Handschuh auf die rechte Hand – ›es muß alles seine Ordnung haben‹, sagte er lächelnd –, nahm den Arm seiner Tochter und stellte sich in Positur, um im richtigen Moment anfangen zu können.

Als ein neuer Mazurkatakt einsetzte, stampfte er flott mit dem einen Fuß auf, schob den andern vor, und seine hohe, schwere Gestalt begann sich bald langsam in wiegendem Schritt, bald lärmend und stürmisch, mit der Sohle aufstampfend und die Hacken aneinanderschlagend, rund um den Saal zu bewegen. Warenkas graziöse Gestalt schwebte neben ihm her, unmerklich zur rechten Zeit die Schritte ihrer kleinen weißen Atlasfüßchen beschleunigend oder hemmend. Der ganze Saal verfolgte gespannt jede Bewegung des Paares. Ich freute mich nicht nur an dem Anblick, ich betrachtete die beiden mit Entzücken und Rührung. Besonders gerührt war ich über seine Stiefel, um die sich die Hosenstrippen spannten – gute kalblederne Stiefel, aber nicht nach der neuen Mode mit schmalen Spitzen, sondern mit breiten, viereckigen, wie in der alten Zeit, und ohne Absätze, augenscheinlich eine Schöpfung des Bataillonsschusters. ›Damit seine Tochter Bälle besuchen und sich kleiden kann, kauft er sich keine modernen Stiefel, sondern läßt sie sich zu Hause anfertigen‹, dachte ich, und diese viereckigen Stiefelspitzen erfüllten mich mit besonderer Rührung. Man sah ihm an, daß er einmal ein vorzüglicher Tänzer gewesen war, jetzt aber war er etwas schwerfällig geworden, und seine Beine waren nicht mehr elastisch genug für alle die schönen, schnellen Pas, die er zu machen bemüht war. Immerhin machte er sehr gewandt zwei Runden, und als er die Beine schnell auseinanderspreizte, sie wieder zusammenschlug und, wenn auch etwas schwerfällig, auf die Knie niedersank, während sie ihn lächelnd und ihren Rock zusammenraffend, an dem er hängengeblieben war, graziös umkreiste, da klatschten alle laut Beifall. Er erhob sich nicht ohne Anstrengung, faßte seine Tochter zärtlich und neckisch an beiden Ohren, küßte sie auf die Stirn und führte sie mir zu in der Meinung, ich tanze mit ihr. Ich sagte ihm, daß ich diesmal nicht ihr Kavalier sei.

›Tut nichts, machen Sie jetzt mal mit ihr eine Runde‹, sagte er freundlich lächelnd und steckte seinen Degen wieder ins Gehenk.

Wie aus einer Flasche nach den ersten, langsam sikkernden Tropfen der Inhalt plötzlich in starken Strömen herausfließt, so hatte auch in meiner Seele die Liebe zu Warenka meine ganze Fähigkeit zu lieben freigemacht. Ich liebte die Frau des Hauses mit dem Diadem und der elisabethanischen Büste, ich liebte ihren Mann und ihre Gäste, ihre Diener, ja sogar den Ingenieur Anisimow, der mir ein schiefes Gesicht machte. Für ihren Vater aber mit seinen altmodischen Stiefeln und dem freundlichen Lächeln, das so sehr an das ihre erinnerte, empfand ich eine geradezu begeisterte, zärtliche Zuneigung.

Die Mazurka war zu Ende, die Hausfrau bat die Gäste zu Tisch, doch Oberst B. dankte, da er morgen sehr früh aufstehen müsse, und verabschiedete sich von den Gastgebern. Ich erschrak, denn ich glaubte, er würde auch seine Tochter mitnehmen, allein sie blieb mit der Mutter noch da.

Nach dem Souper tanzte ich mit ihr die versprochene Quadrille, und obgleich ich schon glaubte, unendlich glücklich zu sein, wuchs mein Glücksgefühl doch noch mit jedem Augenblick. Wir sprachen gar nicht von Liebe; ich fragte weder sie noch mich selbst, ob sie mich denn auch liebe. Es war mir genug, daß ich sie liebte. Und ich fürchtete nur eins: daß unser Glück gestört werden könnte.

Als ich nach Hause gekommen war, mich ausgekleidet hatte und ans Schlafen dachte, begriff ich sofort, daß dies ganz unmöglich sei. In der Hand hielt ich die Feder von ihrem Fächer und einen Handschuh von ihr, den sie mir gegeben hatte, als sie in den Wagen stieg und ich erst ihrer Mutter und dann ihr selbst hineinhalf. Ich betrachtete diese Gegenstände und, ohne die Augen zu schließen, sah ich sie vor mir: bald in dem Augenblick, wo sie, zwischen zwei Kavalieren wählend, meinen Decknamen erriet, mit ihrer lieben Stimme sagte: ›Stolz, nicht wahr‹ und mir froh die Hand reichte, bald beim Souper, wie sie das Champagnerglas an die Lippen führte und mit ihren zärtlichen Augen von unten herauf zu mir emporblickte. Aber immer wieder sah ich sie, wie sie mit ihrem Vater tanzte, wie sie mit abgemessenen, graziösen Schritten ihn umkreiste und voller Stolz und Freude über ihn und sich selbst zu den entzückten Zuschauern hinüberblickte – und unwillkürlich umfaßte ich ihn und sie mit der gleichen zärtlichen, gerührten Zuneigung.

Ich wohnte damals mit meinem verstorbenen Bruder zusammen. Mein Bruder hatte für die große Welt nicht viel übrig und besuchte keine Bälle; zudem bereitete er sich jetzt gerade zum Staatsexamen vor und führte ein äußerst regelmäßiges Leben. Er schlief. Ich betrachtete seinen tief ins Kissen gesunkenen und bis zur Hälfte in die Flanelldecke gehüllten Kopf, und ein zärtlich mitleidiges Gefühl überkam mich, mitleidig, weil er das Glück, das mir zuteil geworden, nicht kannte und nicht teilte. Unser leibeigener Diener Petruschka kam mir mit Licht entgegen und wollte mir beim Auskleiden behilflich sein, ich schickte ihn aber fort. Der Anblick seines verschlafenen Gesichts mit den wirren Haaren schien mir ungemein rührend. Bemüht, keinen Lärm zu machen, ging ich auf Zehenspitzen in mein Zimmer und setzte mich aufs Bett. Nein, ich war zu glücklich, ich konnte nicht schlafen. Außerdem war es mir in den überheizten Zimmern zu warm; ohne meine Uniform abzulegen, ging ich ins Vorzimmer, warf den Mantel über, öffnete die Haustür und trat auf die Straße hinaus.

Ich hatte den Ball gegen halb fünf Uhr verlassen, über dem Heimweg und meinem Aufenthalt in unserer Wohnung waren noch etwa zwei Stunden verflossen, so daß es schon hell war, als ich die Straße betrat. Es war das richtige Karnevalswetter; die Luft war trüb und neblig, der nasse Schnee schmolz auf den Straßen, und von allen Dächern tropfte es. Oberst B. mit seiner Familie wohnte damals am äußersten Ende der Stadt vor einem großen freien Feld; an dessen einem Ende befand sich ein Mädchenpensionat, am andern Ende ein Rummelplatz mit allerlei Schaubuden und Volksbelustigungen. Ich durchschritt unsere stille Seitengasse und bog in eine große Straße ein, in der mir Fußgänger und Lastfuhrleute mit Brennholz auf Schlitten, deren Kufen schon gegen das nackte Pflaster stießen, entgegenkamen. Die Pferde mit den unter dem glänzenden Krummholz taktmäßig schwankenden Köpfen, die in Bastmatten gehüllten Fuhrleute, die in riesigen Stiefeln neben den Schlitten einherstapften, die Häuser, die im Nebel sehr hoch aussahen – alles schien mir heute besonders lieb und bedeutungsvoll.

Als ich auf das Feld hinaustrat, an dem sich ihr Haus

befand, sah ich ganz ferne, in der Richtung zum Rummelplatz hin, etwas Großes, Schwarzes und hörte Trommel- und Flötentöne. In meinem Herzen sang es die ganze Zeit, und ab und zu unterschied ich deutlich das Motiv der Mazurka. Dieses hier aber war eine andere, harte, unschöne Musik.

›Was ist das?‹ dachte ich und ging auf dem ausgefahrenen, schlüpfrigen Wege quer über das Feld in der Richtung, aus der die Töne kamen. Als ich etwa hundert Schritte gegangen war, erkannte ich durch den Nebel eine Menge schwarzer Gestalten, offenbar Soldaten. ›Sie exerzieren wohl‹, dachte ich und ging mit einem Schmied in einer speckigen Pelzjacke und Lederschürze, der etwas auf dem Arm trug und die ganze Zeit vor mir her gegangen war, näher heran. Soldaten in schwarzen Uniformen standen in zwei Reihen, Gewehr bei Fuß, einander gegenüber und rührten sich nicht. Hinter ihnen standen Trommler und ein Flötenspieler und wiederholten unausgesetzt die gleiche unangenehme kreischende Melodie.

›Was machen sie denn da?‹ fragte ich den Schmied, der neben mir stehengeblieben war.

›Ein Deserteur, ein Tatar, muß Spießruten laufen‹, sagte der Schmied ingrimmig und starrte nach dem weitentfernten Ende der Doppelreihe.

Ich richtete den Blick ebenfalls dahin und sah zwischen den beiden Reihen etwas Entsetzliches auf mich zukommen. Dieses Entsetzliche war ein Mann mit entblößtem Oberkörper, an die Gewehre zweier Soldaten gebunden, die ihn führten. Hinter ihm ging ein hochgewachsener Offizier in Mantel und Mütze, dessen Gestalt mir bekannt vorkam. Der Delinquent stapfte mit den Füßen durch den schmelzenden Schnee, und sein ganzer Körper zuckte unter den Schlägen, die von beiden Seiten auf ihn niederfielen. Mehrmals war er nahe daran zusammenzubrechen, aber wenn er nach rückwärts zu fallen drohte, wurde er von den Unteroffizieren, die ihn führten, vorwärts gestoßen, und wenn er vornüber stürzte, hielten die Unteroffiziere ihn fest und zerrten ihn zurück. Und dicht hinter ihm ging mit festem, wiegendem Schritt der hochgewachsene Offizier. Es war Warenkas Vater mit dem rosigen Gesicht und dem weißen Schnurr- und Backenbart.

Bei jedem Schlag wandte der Delinquent wie erstaunt sein vom Schmerz verzerrtes Gesicht nach der Seite, woher der Schlag kam, und wiederholte, die weißen Zähne fletschend, immer die gleichen Worte. Erst als er ganz nahe herangekommen war, verstand ich, was er sagte. Er sprach nicht, sondern schluchzte: ›Brüder, erbarmt euch! Brüder, erbarmt euch!‹ Doch die Brüder kannten kein Erbarmen, und als der Zug dicht an mir vorüberging, sah ich, wie der mir gegenüberstehende Soldat energisch vortrat, den Stock schwenkte, daß er pfiff, und ihn aus aller Kraft auf den Rücken des Tataren niedersausen ließ. Der Tatar stürzte vornüber, aber die Unteroffiziere fingen ihn auf, und ein ebenso starker Schlag traf ihn von der andern Seite, dann wieder von drüben und, wieder von dieser Seite ... Der Oberst ging hinterher, den Blick bald auf seine Füße, bald auf den Delinquenten gerichtet, atmete mit vollen Backen die feuchte Luft ein und stieß sie dann durch die vorgeschobene Lippe wieder hinaus. Als der Zug an der Stelle, wo ich stand, vorübergekommen war, sah ich flüchtig zwischen den Reihen der Soldaten hindurch den Rücken des Delinquenten. Das war etwas so Buntes, Nasses, Rotes, Unnatürliches, daß ich es gar nicht für den Teil eines menschlichen Körpers halten mochte.

›O mein Gott!‹ sagte der Schmied neben mir.

Der Zug entfernte sich langsam. Immer weiter fielen von beiden Seiten die Hiebe auf den stolpernden, zukkenden Menschen, nach wie vor rasselten die Trommeln und pfiff die Flöte, und immer im gleichen festen Schritt bewegte sich die hohe, stattliche Gestalt des Obersten neben dem Delinquenten. Plötzlich blieb der Oberst stehen und wandte sich hastig an einen Soldaten.

›Ich werde dich schon schmieren lehren!‹ vernahm ich seine zornige Stimme. ›Wirst du noch schmieren? Wirst du noch?‹ Und ich sah, wie seine kräftige Hand im wildledernen Handschuh den erschrockenen, kleinen, schwächlichen Soldaten ins Gesicht schlug, weil er seinen Stock nicht kräftig genug auf den roten Rücken des Tataren hatte fallenlassen. ›Frische Spießruten her!‹ schrie er, sich umsehend, und erblickte mich. Er tat, als kenne er mich nicht, und drehte sich mit zornig gerunzeltem Gesicht hastig um. Ich schämte mich so, daß ich nicht wußte, wohin ich sehen sollte. Es war mir, als wäre ich bei einer unsagbar schändlichen Tat ertappt worden; ich schlug die Augen nieder und eilte nach Hause. Auf dem ganzen Heimweg klangen mir bald die Trommelwirbel und die Flötentriller in den Ohren, bald glaubte ich die Worte zu hören: ›Brüder, erbarmt euch!‹ oder die selbstbewußte, zornige Stimme des Obersten: ›Wirst du noch schmieren? Wirst du noch?‹ Dazu im Herzen ein nagendes Schmerzgefühl, das sich fast bis zur physischen Übelkeit steigerte, so daß ich mehrere Male stehenbleiben mußte und glaubte, nun müßte ich sofort das ganze Grauen erbrechen, das bei diesem Schauspiel in mein Inneres gedrungen war. Ich weiß nicht mehr, wie ich nach Hause kam und mich zu Bett legte. Kaum aber begann ich einzuschlummern, so sah und hörte ich wieder alles und sprang auf.

›Offenbar weiß er irgend etwas, was ich nicht weiß‹, dachte ich von dem Obersten. ›Wenn ich das wüßte, was er weiß, würde ich auch verstehen, was ich gesehen habe, und es würde mich nicht so quälen.‹ Aber soviel ich auch grübelte, ich konnte nicht erfassen, was der Oberst wußte, und ich schlief erst am Abend ein, und auch das erst, nachdem ich einen Freund aufgesucht hatte und wir beide uns ganz toll bezecht hatten.

Meinen Sie nun, ich hätte damals entschieden, daß das, was ich da gesehen hatte, etwas sehr Böses sei? Keineswegs. ›Wenn das mit solch ruhiger Sicherheit ausgeführt und von allen für notwendig gehalten wird, so müssen sie eben etwas wissen, was ich nicht weiß‹, dachte ich und gab mir die größte Mühe, mir dieses Wissen anzueignen. Allein so sehr ich mich damals und auch noch später bemühte, ich habe es nie erfahren. Weil ich es aber nicht erfahren konnte, wurde ich auch nicht Militär, wie ich anfangs beabsichtigt hatte. Zivilbeamter bin ich freilich auch nicht geworden, war also, wie Sie sehen, zu gar nichts zu brauchen!«

»Nun, das wissen wir schon, wozu Sie zu brauchen sind«, sagte einer von uns. »Sagen Sie bloß: wieviel Menschen würden heute zu nichts zu brauchen sein, wenn wir Sie nicht hätten?«

»Na, das ist schon ganz dummes Geschwätz«, sagte Iwan Wasiljewitsch in ehrlichem Ärger.

»Nun, und Ihre Liebe?« fragten wir.

»Die Liebe? Ja, die Liebe begann von diesem Tage an zu schwinden. Wenn sie, wie das oft bei ihr der Fall war, mit lächelndem Gesicht vor sich hin sann, mußte ich gleich an den Oberst auf dem Exerzierplatz denken, ein peinliches, unangenehmes Gefühl überkam mich, und ich ging ihr immer mehr aus dem Wege. So versiegte die Liebe allmählich ganz. Ja, so geht es, solche Dinge können das ganze Leben eines Menschen umgestalten und in neue Bahnen lenken. Und Sie behaupten ...«

LEW TOLSTOJ

Im lande der träume ersah ich mein ziel

Im lande der träume ersah ich mein ziel
Dort schlaf ich und hör nichts den Sommer lang
Von liebe in treue von liebe im spiel –
Nur eines heimlichen vogels gesang.

ALGERNON CHARLES SWINBURNE / STEFAN GEORGE

Mit der Kraft seines geistigen Blicks

Mit der Kraft seines geistigen Blicks und Einblicks wächst die Ferne und gleichsam der Raum um den Menschen: seine Welt wird tiefer, immer neue Sterne, immer neue Rätsel und Bilder kommen ihm in Sicht. Vielleicht war alles, woran das Auge des Geistes seinen Scharfsinn und Tiefsinn geübt hat, eben nur ein Anlaß zu seiner Übung, eine Sache des Spiels, etwas für Kinder und Kindsköpfe. Vielleicht erscheinen uns einst die feierlichsten Begriffe, um die am meisten gekämpft und gelitten worden ist, die Begriffe »Gott« und »Sünde«, nicht wichtiger, als dem alten Manne ein Kinder-Spielzeug und Kinder-Schmerz erscheint – und vielleicht hat dann »der alte Mensch« wieder ein andres Spielzeug und einen andren Schmerz nötig – immer noch Kinds genug, ein ewiges Kind!

FRIEDRICH NIETZSCHE

Der Häßliche und der Dumme

Der Häßliche und der Dumme kommen auf dieser Welt am besten weg. Sie können gemütlich dasitzen und das Spiel begaffen. Wenn sie auch nichts vom Sieg wissen, es bleibt ihnen zumindest erspart, die Niederlage kennenzulernen. Sie leben so, wie wir alle leben sollten, ungestört, gleichgültig und ohne Ruhelosigkeit. Sie bringen weder Verderben über andere, noch wird ihnen dergleichen durch andere zuteil.

Dennoch glaube ich

Dennoch glaube ich, wenn auch nur ein einziger sein Leben voll und ganz auslebte, jedem Gefühl Gestalt und jedem Gedanken Ausdruck gäbe und jeden Traum verwirklichte – dann, glaube ich, würde die Welt einen so frischen Antrieb zur Freude erhalten, daß wir all die mittelalterlichen Krankheiten vergessen und zu dem hellenischen Ideal zurückkehren würden – möglicherweise zu etwas Schönerem, Köstlicherem als dem hellenischen Ideal.

OSCAR WILDE

An einem Regentag

Heute, heut kann ich's ihr sagen,
an einem solchen Regentag es wagen!
  Wenn die Blitze grellen
  und der Regen rauscht
und das Dunkel lichtlos scheint.

Keiner wird vernehmen dieses Wort,
denn einsam, leer ist dieser Ort.
  In unserm Schmerz gefangen
  blicken wir einander an.
Wie rastlos der Regen vom Himmel fällt,
als wär sonst niemand auf der Welt.

Die Menschen, die Welt – Lüge sind sie ganz und gar,
der Lärm des Lebens – nichts an ihm ist wahr.
  Augen allein kosten
  der Augen Zauber.
Ein Herz nur spürt des anderen Herzens Schlag.
Tief im Dunkel eingetaucht ist dieser Tag.

So sanft will ich sprechen, daß keiner uns hört,
daß nichts unsere Seele schreckt und verstört.
  Auflösen wird sich mein Wort
  langsam im Strom der Tränen.
Regen will prasselnd die Welt umhüllen,
doch nur ein Wort wird uns zwei Menschen erfüllen.

Wem kann es schaden, wenn von diesem Leid
meine Seele sich befreit?
  Wenn im Regenmonat Śrāban
  in einem Zimmerwinkel
wir uns zwei kleine Worte sagen,
wird sich doch keiner über uns beklagen?

Danach vergeht ein ganzes Jahr
mit der Leute Spott und Kommentar.
  Viele Menschen werden kommen,
  dazu so viel Leid und Kummer.
Und unser kleines Wort wird untergehen,
nur die Welt sich ein Jahr drehen, drehen.

Wie rastlos der Wind auf die Erde fällt
und Blitz auf Blitz den Himmel erhellt.
  Doch jenes Wort, es bleibt
  in mir verschlossen.
Ach, könnt ich's heute noch ihr sagen,
an einem solchen Regentag es wagen!

RABINDRANATH TAGORE

Das Lied des schmerzlichen Spiels

Als ich aus steigender Spiellust
Euch folgte,
Waren da nicht meine Lippen, wie bange Turteltauben –
Aber Euch ekelte vor dem lallenden Singsang meiner
Liebe,
Denn Ihr saht den kahlen Himmel meines Herzens
Ich bin geplündert, wie ein Herbstabend
Ich erwache nur noch im Sterbehemde ....
Aber ich liebe die schwarzen Lenze Eurer Nächte
Euer junges Honiggeträufel.
Ich sehne mich nach Eurem Schwirren und Summen,
Goldhonigträufelnde Nachtbienen seid Ihr.
Sind nicht meine Lippen, wie geopferte Kinder –
Aber der Sturm naht und raubt meine letzte, verwelkte
Weise.
Tausendmal tausend den Gram um den Hals geschlungen,
Um Sternenewigkeit taumelnd
Jäh losgelassen! Und wie ich mich drehen muß,
So kommt doch und spielt mit mir,
Ich stöhne vor Spiellust.
Schwang sie nicht jubelnd mein Leben zu Tode,
So kommt doch und spielt mit mir
Ihr goldenen Bienen alle,
Ihr goldträufelnden Schelme und Schelminnen.

Jugend

Ich hört Dich hämmern diese Nacht
An einem Sarg im tiefen Erdenschacht.
Was willst Du von mir, Tod!
Mein Herz spielt mit dem jungen Morgenrot
Und tanzt im Funkenschwarm der Sonnenglut
Mit all den Blumen und der Sommerlust.

Scheer' Dich des Weges, alter Nimmersatt!
Was soll ich in der Totenstadt,
Ich, mit dem Jubel in der Brust!!

ELSE LASKER-SCHÜLER

Wer denn?

Ich gehe tausend Jahre
um einen kleinen Teich,
und jedes meiner Haare
bleibt sich im Wesen gleich,

im Wesen wie im Guten,
das ist doch alles eins,
so mag uns Gott behuten
in dieser Welt des Scheins!«

Zwischen Weinen und Lachen

Zwischen Weinen und Lachen
schwingt die Schaukel des Lebens.
Zwischen Weinen und Lachen
fliegt in ihr der Mensch.

Eine Mondgöttin
und eine Sonnengöttin
stoßen im Spiel sie
hinüber, herüber.
In der Mitte gelagert:
Die breite Zone
eintöniger Dämmerung.

Hält das Helioskind
schelmisch die Schaukel an,

übermütige Scherze,
weiche Glückseligkeit
dem Wiege-Gast
ins Herz jubelnd,
dann färbt sich rosig,
schwingt er zurück,
das graue Zwielicht,
und jauchzend schwört er
dem goldigen Dasein
dankbare Treue.

Hat ihn die eisige Hand
der Selenetochter berührt,
hat ihn ihr starres Aug',
Tod und Vergänglichkeit redend,
schauerlich angeglast,
dann senkt er das Haupt,
und der Frost seiner Seele
ruft nach erlösenden Tränen.
Aschfahl und freudlos
nüchtert ihm nun
das Dämmer entgegen.
Wie dünkt ihm die Welt nun
öde und schal.

Aber je höher die eine Göttin
die Schaukel zu sich emporzieht –
je höher
schießt sie auch drüben empor.
Höchstes Lachen

und höchstes Weinen,
eines Schaukelschwungs
Gipfel sind sie.

Wenn die Himmlischen endlich
des Spieles müde,
dann wiegt sie sich
langsam aus.
Und zuletzt
steht sie still
und mit ihr das Herz
des, der in ihr saß.

Zwischen Weinen und Lachen
schwingt die Schaukel des Lebens.
Zwischen Weinen und Lachen
fliegt in ihr der Mensch.

CHRISTIAN MORGENSTERN

Ich lebe mein Leben in wachsenden Ringen

Ich lebe mein Leben in wachsenden Ringen,
die sich über die Dinge ziehn.
Ich werde den letzten vielleicht nicht vollbringen,
aber versuchen will ich ihn.

Ich kreise um Gott, um den uralten Turm,
und ich kreise jahrtausendelang;
und ich weiß noch nicht: bin ich ein Falke, ein Sturm
oder ein großer Gesang.

Du mußt das Leben nicht verstehen

Du mußt das Leben nicht verstehen,
dann wird es werden wie ein Fest.
Und laß dir jeden Tag geschehen
so wie ein Kind im Weitergehen
von jedem Wehen
sich viele Blüten schenken läßt.

Sie aufzusammeln und zu sparen,
das kommt dem Kind nicht in den Sinn.
Es löst sie leise aus den Haaren,
drin sie so gern gefangen waren,
und hält den lieben jungen Jahren
nach neuen seine Hände hin.

RAINER MARIA RILKE

Der Blütenzweig

Immer hin und wider
Strebt der Blütenzweig im Winde,
Immer auf und nieder
Strebt mein Herz gleich einem Kinde
Zwischen hellen, dunklen Tagen,
Zwischen Wollen und Entsagen.

Bis die Blüten sind verweht
Und der Zweig in Früchten steht,
Bis das Herz, der Kindheit satt,
Seine Ruhe hat
Und bekennt: voll Lust und nicht vergebens
War das unruhevolle Spiel des Lebens.

Oft ist das Leben

Oft ist das Leben lauter Licht
Und funkelt freudefarben
Und lacht und fragt nach denen nicht,
Die litten, die verdarben.

Doch immer ist mein Herz bei denen,
Die Leid verhehlen
Und sich am Abend voller Sehnen
Zu weinen in die Kammer stehlen.

So viele Menschen weiß ich,
Die irren leidbeklommen,

All ihre Seelen heiß ich
Mir Brüder und willkommen.

Gebückt auf nasse Hände
Weiß ich sie abends weinen,
Sie sehen dunkle Wände
Und keine Lichter scheinen.

Doch tragen sie verborgen,
Verirrt, und wissen's nicht,
Durch Finsternis und Sorgen
Der Liebe süßes Licht.

Einsamkeit

Der Weg ist schwer, der Weg ist weit,
Doch kann ich nicht zurück:
Wer einmal dein ist, Einsamkeit,
Dem bist du Tod und Glück.

Die Sehnsucht brennt; von drunten her
Ruft mütterlich die Welt;
Wie ist ihr Ruf von Liebe schwer,
Wie rot von Lust erhellt.

Doch wer den ersten Becher trank
Vom Wasser Einsamkeit,
Dem singt kein Vogel mehr zu Dank,
Der geht nicht mehr zu zweit.

Träumerei am Abend

Banges müdgewordnes Herz,
Das so froh einst schlug,
Sinnst verloren jugendwärts,
Hast des Spiels genug.

Bilder steigen ohne Zahl
Aus dem Dunkel hold,
Langerloschner Sonnenstrahl
Taucht sie tief in Gold.

Licht und fern erglänzt die Welt,
Die wir einst gekannt:
Hohes Kindheits-Sternenzelt,
Kinder-Heimatland.

Die wir noch im Dunkel stehn
Milder Träumerein,
Sehnen uns ins Licht zu gehn,
Selber Licht zu sein.

HERMANN HESSE

Schöne Fraun mit schönen Katzen

Schöne Fraun und Katzen pflegen
Häufig Freundschaft, wenn sie gleich sind,
Weil sie weich sind
Und mit Grazie sich bewegen.

Weil sie leise sich verstehen,
Weil sie selber leise gehen,
Alles Plumpe oder Laute
Fliehen und als wohlgebaute
Wesen stets ein schönes Bild sind.

Unter sich sind sie Vertraute,
Sie, die sonst unzähmbar wild sind.
Fell wie Samt und Haar wie Seide.
Allverwöhnt. – Man meint, daß beide
Sich nach nichts, als danach sehnen,
Sich auf Sofas schön zu dehnen.

Schöne Fraun mit schönen Katzen,
Wem von ihnen man dann schmeichelt,
Wen von ihnen man gar streichelt,
Stets riskiert man, daß sie kratzen.

Denn sie haben meistens Mucken,
Die zuletzt uns andre jucken.
Weiß man recht, ob sie im Hellen
Echt sind oder sich verstellen?

Weiß man, wenn sie tief sich ducken,
Ob das nicht zum Sprung geschieht?
Aber abends, nachts, im Dunkeln,
Wenn dann ihre Augen funkeln,
Weiß man alles oder flieht
Vor den Funken, die sie stieben.

Doch man soll nicht Fraun, die ihre
Schönen Katzen wirklich lieben,
Menschen überhaupt, die Tiere
Lieben, dieserhalb verdammen.

Sind Verliebte auch wie Flammen,
Zu- und ineinander passend,
Alles Fremde hassend.

Ob sie anders oder so sind,
Ob sie männlich, feminin sind,
Ob sie traurig oder froh sind,
Aus Madrid oder Berlin sind,
Ob sie schwarz, ob gelb, ob grau, –

Auch wer weder Katz noch Frau
Schätzt, wird Katzen gern mit Frauen,
Wenn sie beide schön sind, schauen.

Doch begegnen Ringelnatzen
Häßlich alte Fraun mit Katzen,
Geht er schnell drei Schritt zurück.
Denn er sagt: Das bringt kein Glück.

Das Doktor-Knochensplitter-Spiel
Dazu braucht man nicht viel.

Nur ein Gänse- oder Hühnerknöchelchen.
Du, Berta, bohrst ein Löchelchen
Ins Sofa und schiebst das Knöchelchen
Weit rein, doch immer dicht unter die Sofahaut,
Daß man's von außen wie Knorpel anfassen kann,
Was wie Geschwulst ausschaut.
Das Sofa ist dann dein Mann.
Ich bin der Doktor Frank.
Du sagst: »Mein Mann ist so krank.«
Ich fühle und sage mit ernster Miene:
»Er hat einen Splitter im Herzen sitzen«,
Und nehme das Ölkännchen von eurer Nähmaschine,
Um erstmal Betäubung in das Geschwür einzuspritzen.
Nun kommt die Operation; das ist das Schwere.
Ich nehme ein Messer und eine Schere.
Du nimmst ein Handtuch und fürchtest dich zuzusehn;
Darum drückst du die Augen zu.
Ich tu einen scharfen Schnitt, greife dann
– das muß wie der Blitz geschehn –
Mit der Zange (das ist die Schere) im Nu
Den Knochen aus deinem Mann.
Weil, wenn ich ihn nicht beim ersten Male geschickt
Gleich rausbekomme, – ist die Operation mißglückt.

– – – –

Das nächste Mal bist du Doktor Frank,
Und mein Mann ist krank.

– – – –

Angst darfst du nicht haben. Denn meine und deine Eltern können uns – – – Weißt du, was ich meine?!?

JOACHIM RINGELNATZ

Die Tathandlung

Da standen die Rosen im Regen.
Ich bitt dich, schneid sie nicht ab.
Sie werden sich nicht halten, sagte sie.
Aber sie sind so schön, wo sie sind.
Ach, schön waren wir alle einmal, sagte sie,
und schnitt sie und gab sie mir
in die Hand.

WILLIAM CARLOS WILLIAMS

Die Schale

Kommst du zum letzten Male,
wir waren doch so allein
und rannen in eine Schale
mit Bildern und Träumen ein.

Es war doch eben noch heute
und unser Meer war die Nacht,
wir waren einander die Beute,
die weiße Fracht.

Wir streiften uns wie zwei Rassen,
zwei Völker von Anbeginn,
die Stämme, die dunklen, die blassen
gaben sich hin.

Kommst du zum letzten Male,
es war doch alles nur Spiel,
oder sahst du wie in die Schale
Tränen und Schatten fiel –

sahst du, sahst du ihr Neigen
in Strömen dieses Weins
und dann ihr Fallen und Schweigen:
die Verwandlung des Seins –?

GOTTFRIED BENN

Die Seiltänzer

Sie gehen über den gespannten Seilen
und schwanken manchmal, fast, als wenn sie fallen.
Und ihre Hände schweben über allen,
die flatternd in dem leeren Raum verweilen.

Das Haus ist übervoll mit tausend Köpfen,
die wachsen aus den Gurgeln steil und starren,
wo oben hoch die dünnen Seile knarren.
Und Stille hört man langsam tröpfeln.

Die Tänzer aber gleiten hin geschwinde
wie weiße Vögel, die die Wandrer narren
und oben hoch im leeren Raume springen.

Wesenlos, seltsam, wie sie sich verrenken
und ihre großen Drachenschirme schwingen,
und dünner Beifall klappert von den Bänken.

GEORG HEYM

Jetzt da der Flieder blüht

Jetzt da der Flieder blüht
Hat sie in ihrer Schale Flieder stehn
Und zwirbelt einen Zweig in ihren Fingern, da sie spricht.
›Ach, Freund, du weißt ja nicht, du weißt ja nicht
Was Leben ist, obwohl dus in Händen hältst‹:
(Sie zwirbelt sachte ihren Flieder)
›Du läßt es dir entfließen, läßt es fließen,
Die Jugend ist grausam und kennt keine Reue
Und lächelt über Dinge, die sie nicht begreift.‹
Ich lächle, klar, Und trinke weiter Tee.

›Und doch, bei diesen Sonnenuntergängen im April, die mir irgendwie
Mein begrabnes Leben zurückrufen und Paris im Frühling,
Find ich mich unermeßlich ruhig und die Welt
Am Ende doch ganz wunderbar und jung.‹

Die Stimme kehrt zurück, beharrlich und verzerrt
Wie eine aufgezargte Violine an einem Spätnachmittag im August:
›Stets bin ich sicher, daß du dich verstehst
Auf mein Gefühl, stets sicher, daß du spürst ...
Sicher, daß über die große Kluft noch deine Hand nach mir reicht.

Du, du bist unverletzbar, hast keine Achillesferse.
Du wirst weitermachen und hast dus erst geschafft

Kannst du sagen: An diesem Punkt hat schon so mancher
aufgegeben.
Doch was hab ich, was habe ich, mein Freund,
Das ich dir geben könnte, was könntest du von mir
erhalten?
Nichts als die Freundschaft und die Sympathie
Von einer, die fast am Ende ihrer Reise ist.

Hier sitzen werde ich und den Freunden Tee
einschenken ...‹

Ich greif zum Hut: womit kann ich sie, feige wie ich bin,
Schon schadlos halten für das, was sie mir da gesagt hat?
Im Park sieht man mich jeden Morgen
Wie ich die Comics lese und den Sport.
Interessiern tut mich besonders,
Daß eine englische Gräfin auf die Bühne geht.
Ein Grieche wurde umgebracht auf einem Polen-Ball,
Ein neuer Bankbetrüger hat gestanden.
Ich wahr die Fassung
Bleibe selbstbeherrscht.
Es sei denn, daß ein Leierkasten müde und mechanisch
Einen abgedroschnen Schlager ewig wiederholt
Oder daß der Geruch von Hyazinthen aus dem Garten
weht
Und Dinge in mir aufruft, die andere begehrten.
Sind diese Annahmen richtig oder falsch?

T. S. ELIOT

Auf das Spiel einer Fußball-Mannschaft

In sich vollendet jeder, aber nie
Vergessend, daß ein jedes Einzelspiel
Nur einen Sinn hat und nur ein, ein Ziel:
Den Sieg des Ganzen – also spielen sie

– ein nie Zuwenig und ein nie Zuviel –
Elfstimmig ihre kühne Melodie.
Ein Spiel zwar, aber ernsthaft, und gleichwie
Ein Bei-Spiel, zeigen sie uns ihren Stil.

Die Stürmerreihe zieht das Feld entlang.
Wie abgelöst vom Boden und im Fluge,
Beflügelt von der ganzen Mannschaft Kraft.

Ein Fußballspiel – und gleichfalls eine Fuge.
Zusammenhang wird zum Zusammenklang.
Der Sieg des *Ganzen* – *aller* Meisterschaft.

JOHANNES R. BECHER

Friseure

für Chaplin

Im leeren Salon sitzen Friseure und schauen drein.
Sie warten und seufzen, kein Kunde kommt, wie langweilig, ach.
Sie kämmen sich selbst, rasieren sich selbst, selbst, allein,
sagen sich alles, schlummern und schnarchen, und werden wach.

Sie gehn ans Fenster, doch dort ist weit und breit nichts zu sehn.
Sie gehn zurück zum Spiegel, im Spiegelrahmen – Friseure,
pomadisiert, frisiert, rasiert, sehr traurig und schön,
gepuderte Menschmisere, solitäre Friseure.

Sie lesen das Tagblatt, reiben die Stirnen, pfeifen sich was.
Sie wippen, warten auf etwas Neues, auf etwas Fremdes.
Indes verneigen sie sich vorm Spiegel, feixen ins Glas,
gähnen und schlucken schläfrige Öde des weißen Hemdes.

Die Hähne krähn, ein Gewitter naht, das Städtchen wird naß,
und schneller gehn die Friseure, ängstlich – schon zuckt ein Blitz.
Friseure weinen, Friseure singen und werden blaß,
sie hören auf zu laufen und gehn nun langsamen Schritts.

Sie heben langsam die Arme hoch und warten sich wund,
drehen dabei mit dem Kopf, sehr langsam, bangen und
hoffen.
Im stummen Flüstern bewegen sie ihren blutleeren Mund,
glotzen zum Tisch, auf ein Nickelding, wie vom Blitz
getroffen.
Und winden sich nun, gehn hoch an der Wand, weil der
Regen pufft,
und liegen flach vor dem staunenden Spiegel »Ei was denn,
schau!«
Friseure tanzen, schreien und hängen frei in der Luft
und fliegen hoch als Engel im himmlischen Spiegelblau.

JULIAN TUWIM

Der Radwechsel

Ich sitze am Straßenrand
Der Fahrer wechselt das Rad.
Ich bin nicht gern, wo ich herkomme.
Ich bin nicht gern, wo ich hinfahre.
Warum sehe ich den Radwechsel
Mit Ungeduld?

BERTOLT BRECHT

Fries

Für Gustavo Duran

Erde

Die Mägdelein der Brise
schweben mit wallenden Schleppen.

Himmel

Die Jünglinge des Windes
springen über den Mond.

FEDERICO GARCÍA LORCA

Weinlese

Trommelnd die Winzer in den Bergen
Traube Sternstaub
unter den Lichtern über die Straßen
in den Bergen die Winzer die Winzer
Nacht Tamburin Nacht Schachspiel der Sterne

Marienbad

Die altertümliche Uhr von Porzellan
hat innen Licht gemacht und spielt die Ronde;
in den Krug auf unterirdischem Plan
strömen die Tränen der Marienmädchen im Maienmonde.

Miramonte,
Torte von Schlagobers bereitet,
bei höfischen Menuetten verneigt euch als Contessa und
Conte,
Beethoven über die Orgel schreitet.

Und Goethe in schwarzem Rocke
ist dabei, Rotkäppchen zu folgen,
er schickt ihr eine schöne Elegie, der Kokotte,
durch einen Badeengel läßt er den Brief besorgen.

Weiße Sterne, Saisonpaläste,
wo der Fürst von Monaco mit Engeln Federn schliß bei
süßem Schall,

John Bull sehnt sich nach Nizza-Festen
im Hotel Balmoral.

Riviera ohn Ufer, Schwan meines Landes,
der du singst bei jedem Gedenken,
sei glücklich und stirb nicht; deine Schäferinnen
flatternden Bandes
auf Böhmens süßen Fluren Schwärmer und Exulanten
lenken.

Schweifende Dichter, die nach dem Verglänzen
der Sonne welt-jenseitig innehielten im Abstieg an diesen
Orten,
und inmitten fremden Tanzes sammeln die dürren
Kränze
und das Obers von deinen versteinerten Torten.

VÍTĚZSLAV NEZVAL

Rechenstunde

Zwei und zwei sind vier
Vier und vier sind acht
Acht und acht sind sechzehn
Wiederholen! Sagt der Lehrer
Zwei und zwei sind vier
Vier und vier sind acht
Acht und acht sind sechzehn
Aber da fliegt der Wundervogel
Am Himmel vorbei
Das Kind sieht ihn
Das Kind hört ihn
Das Kind ruft ihn
Rette mich
Spiel mit mir
Vogel !
Da schwebt der Vogel nieder
Und spielt mit dem Kind
Zwei und zwei sind vier...
Wiederholen! Sagt der Lehrer
Und das Kind spielt
Der Vogel spielt mit ihm
Vier und vier sind acht
Acht und acht sind sechzehn
Und wieviel sind sechzehn und sechzehn?
Sechzehn und sechzehn sind nichts
Und erst recht nicht zweiunddreißig
Denn das gibt ja keinen Sinn
Also schwinden sie dahin

Und das Kind hat den Vogel
In seinem Pult versteckt
Und alle Kinder
Hören sein Lied
Und alle Kinder
Hören die Musik
Und nun verschwinden auch die acht und acht
Und die Vier und Vier und die Zwei und Zwei
Trollen sich
Und eins und eins sind weder eins noch zwei
Eins ums andre ziehn sie ab
Und der Wundervogel spielt
Und das Kind singt
Und der Lehrer schreit:
Wann hört ihr endlich mit dem Unsinn auf?
Aber alle Kinder
Horchen auf die Musik
Und die Wände des Klassenzimmers
Sinken friedlich ein
Und die Fensterscheiben werden wieder Sand
Die Tinte wird wieder Wasser
Die Pulte werden wieder Bäume
Die Kreide wird wieder Felsen
Der Federhalter wird wieder Vogel.

JACQUES PRÉVERT

Trauriges Stelldichein mit Charlie Chaplin

Meine Krawatte, meine Handschuhe,
meine Handschuhe, meine Krawatte.

Der Schmetterling ignoriert den Tod der Schneider,
des Weltmeers Niederlage durch die Schaufenster.
Mein Alter, meine Herren, 900 000 Jahre.
Oh!

Ich war ein Kind, als die Fische nicht umherliefen,
als die Gänse nicht Messe lasen
oder die Schnecke die Katze anfiel.
Mein Fräulein, wir spielten damals Katz und Maus.

Das Allertraurigste, mein Herr, eine Taschenuhr:
11 Uhr, 12 Uhr, 1 Uhr, 2 Uhr.

Punkt drei wird ein Passant umkommen.
Du, Mond, erschrick nicht,
du, Mond, vor den verspäteten Taxis,
Mond aus Ruß der Feuerwehrmänner.

Die Stadt steht in Flammen am Himmel,
ein Anzug, dem meinen gleich, langweilt sich auf dem Lande.
Mein Alter, bald 25 Jahr.

Es schneit, wie es schneit,
und mein Körper wird zum Holzhaus.

Ich lade dich ein, Wind, auszuruhn.
Nun ist es zu spät, um Sterne zum Abendbrot zu
speisen.

Aber wir könnten tanzen, verlorener Baum.
Einen Walzer für die Wölfe
Zum Traum der Henne ohne des Fuchses Krallen.

Mein Stock ist mir abhanden gekommen.
Es ist recht traurig, ihn auf der Welt allein zu wissen.
Mein Spazierstock!

Mein Hut, meine Fäuste,
meine Handschuhe, meine Schuhe.

Der Knochen, der weit stärker schmerzt, Liebste, ist die
Uhr:
11 Uhr, 12 Uhr, 1 Uhr, 2 Uhr.

Punkt drei.
In der Apotheke verdunstet ein nackter Leichnam.

RAFAEL ALBERTI

Spiel ist im Begriff der Kunst

Spiel ist im Begriff der Kunst das Moment, wodurch sie unmittelbar über die Unmittelbarkeit der Praxis und ihrer Zwecke sich erhebt. Es ist aber zugleich nach rückwärts gestaut, in die Kindheit, wo nicht die Tierheit. Im Spiel regrediert Kunst, durch ihre Absage an die Zweckrationalität, zugleich hinter diese. Die geschichtliche Nötigung, daß Kunst mündig werde, arbeitet ihrem Spielcharakter entgegen, ohne seiner doch ganz ledig zu werden; der pure Rückgriff auf Spielformen dagegen steht regelmäßig im Dienst restaurativer oder archaistischer gesellschaftlicher Tendenzen. Spielformen sind ausnahmslos solche von Wiederholung. Wo sie positiv bemüht werden, sind sie verkoppelt mit dem Wiederholungszwang, dem sie sich adaptieren und den sie als Norm sanktionieren. Im spezifischen Spielcharakter verbündet sich Kunst, schroff der Schillerschen Ideologie entgegengesetzt, mit Unfreiheit. Damit gerät ein Kunstfeindliches in sie hinein; die jüngste Entkunstung der Kunst bedient sich versteckt des Spielmoments auf Kosten aller anderen. Feiert Schiller den Spieltrieb seiner Zweckfreiheit wegen als das eigentlich Humane, so erklärt er, loyaler Bürger, das Gegenteil von Freiheit zur Freiheit, einig mit der Philosophie seiner Epoche. Das Verhältnis des Spiels zur Praxis ist komplexer als in Schillers Ästhetischer Erziehung. Während alle Kunst einst praktische Momente sublimiert, heftet sich, was Spiel ist in ihr, durch Neutralisierung von Praxis gerade an deren Bann, die Nötigung zum Immergleichen, und deutet den Gehorsam in psychologischer Anlehnung an den Todestrieb in Glück um. Spiel in der Kunst ist von Anbeginn disziplinär, vollstreckt das Tabu über den Ausdruck im Ritual der Nachahmung; wo Kunst ganz und gar spielt, ist vom Ausdruck nichts übrig. Insgeheim ist Spiel in Komplizität mit dem Schicksal, Repräsentant des mythisch Lastenden, das Kunst abschütteln möchte; in Formeln wie der vom Rhythmus des Bluts, die man so gern für den Tanz als Spielform verwendete, ist der repressive Aspekt offenbar. Sind die Glücksspiele das Gegenteil von Kunst, so reichen sie als Spielformen in diese hinein. Der vorgebliche Spieltrieb ist seit je fusioniert mit der Vorherrschaft blinder Kollektivität. Nur wo Spiel des eigenen Grauens innewird, wie bei Beckett, partizipiert es in Kunst irgend an Versöhnung. Ist Kunst so wenig ganz ohne Spiel denkbar wie ganz ohne Wiederholung, so vermag sie doch den furchtbaren Rest in sich als negativ zu bestimmen.

Das berühmte Werk »Homo ludens« von Huizinga rückte neuerlich die Kategorie des Spiels ins Zentrum der Ästhetik, und nicht in ihres allein: Kultur entstehe als Spiel. »Mit dem Ausdruck ›Spielelement der Kultur‹ ist ... nicht gemeint, daß unter den verschiedenen Betätigungen des Kulturlebens den Spielen eine wichtige Stelle vorbehalten ist, auch nicht, daß Kultur durch einen Entwicklungsprozeß aus Spiel hervorgeht, in der Weise, daß etwas, was ursprünglich Spiel war, später in etwas übergegangen wäre, was nicht mehr Spiel ist und nun Kultur genannt werden kann. Es soll vielmehr gezeigt werden, ... daß Kultur anfänglich gespielt wird.« Huizingas These unterliegt prinzipiell der Kritik an der Bestimmung von Kunst durch ihren Ursprung. Gleichwohl hat sein Theorem ein

Wahres und ein Unwahres. Faßt man den Begriff des Spiels so abstrakt wie er, so nennt er wenig Spezifischeres als Verhaltensweisen, die von selbsterhaltender Praxis wie immer auch sich entfernen. Ihm entgeht, wie sehr gerade das Spielmoment der Kunst Nachbild von Praxis ist, zu viel höherem Grad als das des Scheins. Tun in jeglichem Spiel ist eine inhaltlich der Beziehung auf Zwecke entäußerte, der Form, dem eigenen Vollzug nach jedoch festgehaltene Praxis. Das Wiederholungsmoment im Spiel ist das Nachbild unfreier Arbeit, so wie die außerkünstlerisch dominierende Gestalt des Spiels, der Sport, an praktische Verrichtungen gemahnt und die Funktion erfüllt, Menschen auf die Anforderungen der Praxis, vor allem durch reaktive Umfunktionierung physischer Unlust in sekundäre Lust, unablässig zu gewöhnen, ohne daß sie die Kontrebande von Praxis bemerkten. Huizingas Lehre, der Mensch spiele nicht nur mit der Sprache, sondern diese selbst entstehe als Spiel, ignoriert einigermaßen souverän die praktischen Nötigungen, die in der Sprache enthalten sind und deren sie spät erst, wenn überhaupt, sich entledigt. Übrigens konvergiert Huizingas Sprachtheorie merkwürdig mit der Wittgensteinschen; auch er verkennt das konstitutive Verhältnis der Sprache zum Außersprachlichen. Trotzdem führt Huizingas Spieltheorie ihn zu Einsichten, die den magisch praktizistischen wie den religiös metaphysischen Reduktionen der Kunst versperrt sind. Er hat die ästhetischen Verhaltensweisen, die er unter dem Namen des Spiels zusammenfaßt, von den Subjekten her als wahr und unwahr zugleich erkannt. Das verhilft ihm zu einer ungemein eindringlichen Lehre vom Humor: »Man möchte sich ... fragen, ob nicht auch für den Wilden von Anfang an mit seinem Glauben an seine heiligsten Mythen ein gewisses Element von humoristischer Auffassung verbunden ist.« »Ein halb scherzendes Element ist vom echten Mythus nicht zu trennen.« Die religiösen Feste der Wilden sind nicht die »einer vollkommenen Verzückung und Illusion ... Ein hintergründiges Bewußtsein von ›Nichtechtsein‹ fehlt nicht«. »Ob man nun Zauberer oder Bezauberter ist, man ist selbst zugleich wissend und betrogen. Aber man will der Betrogene sein.« Unter diesem Aspekt, dem Bewußtsein der Unwahrheit des Wahren, partizipiert jegliche Kunst am Humor und vollends die verfinsterte Moderne; Thomas Mann hat das an Kafka betont, bei Beckett liegt es auf der Hand. Huizinga formuliert: »In dem Begriff Spiel selbst wird die Einheit und Untrennbarkeit von Glauben und Nicht-Glauben, die Verbindung von heiligem Ernst mit Anstellerei und ›Spaß‹ am besten begriffen.« Das damit vom Spiel Prädizierte gilt wohl von jeglicher Kunst. Hinfällig dagegen ist Huizingas Interpretation von der ›Hermetik des Spiels‹, die zudem mit seiner eigenen dialektischen Definition des Spiels als Einheit des ›Glaubens und Nicht-Glaubens‹ kollidiert. Seine Insistenz auf einer Einheit, in der schließlich die Spiele von Tieren, Kindern, Wilden und Künstlern nur graduell, nicht qualitativ sich unterscheiden sollen, betäubt das Bewußtsein von der Widersprüchlichkeit der Theorie und bleibt hinter Huizingas eigener Erkenntnis vom ästhetisch konstitutiven Wesen des Widerspruchs zurück.

THEODOR W. ADORNO

Normal

Sagt ihm,
er soll die Gabel links nehmen
und das Messer rechts.
Einarmig gilt nicht.

Vorsicht

Die Kastanien blühn.
Ich nehme es zur Kenntnis,
äußere mich aber nicht dazu.

Zuversicht

In Saloniki
weiß ich einen, der mich liest,
und in Bad Nauheim.
Das sind schon zwei.

Stille Post für jedes Jahr

Ich sag dir den ersten Januar ins Ohr.
Sag ihn weiter, ich warte.

Zwischenbescheid für bedauernswerte Bäume

Akazien sind ohne Zeitbezug.
Akazien sind soziologisch unerheblich.
Akazien sind keine Akazien.

Papierzeit

Urkunden und Aquarelle
bewahrt der Erzvater
in Papprollen auf.
Künftigen Forschern ein Zufall,
ist es doch weise Voraussicht.

Beitrag zum Dantejahr

Chandler ist tot
und Dashiell Hammett.
Mir liegts nicht,
mich an das Böse schlechthin
zu halten und Dante zu lesen.

Ode an die Natur

Wir haben unsern Verdacht
gegen Forelle, Winter
und Fallgeschwindigkeit.

Hart Crane

Mich überzeugen
die dünnen Schuhe, der
einfache Schritt über Stipendien
und Reling hinaus.

GÜNTER EICH

Musée des Beaux Arts

Über das Leiden wußten sie gut Bescheid,
die Alten Meister: wie kannten sie gut
seine menschliche Rolle; daß es geschieht,
während einige essen, ein andrer ein Fenster öffnet oder
gelangweilt hingeht;
daß, während die Alten ehrfürchtig und gespannt
die wunderbare Geburt erwarten, Kinder immer dabei sind,
denen nicht viel daran liegt, und die
Schlittschuh auf einem Teich am Waldrande laufen;
sie vergaßen auch nie,
daß selbst das Mysterium stattfinden muß
irgendwo abseits, an unsauberem Ort,
wo die Hunde sich hündisch benehmen und des Folterers
Pferd
sein Hinterteil unschuldig an einem Baum kratzt.

In Breughels *Ikarus* zum Beispiel: wie alles sich beinah
gelassen vom Unheil abkehrt; vielleicht hat der Bauer
den Aufschlag gehört, den verlorenen Schrei,
aber für ihn war das nichts von Bedeutung; die Sonne
beschien, wie es ihre Pflicht war, die weißen im Wasser
verschwindenden Beine; und das kostspielige, stolze Schiff,
das staunend
etwas gesehn haben mußte, – einen Jungen, der aus dem
Himmel fiel –,
hatte ein Ziel und segelte ruhevoll weiter.

WYSTAN HUGH AUDEN

Kabusch II

Er ist kein Maler, kein Savonarola, kein Uhu mit Menschenlachen usw. Daran kann es nicht liegen. Er johlt nicht in einer besseren Gesellschaft und überhaupt nicht. Er trägt eine randlose Brille. Gitarre spielen auf einem Waschbrett, das kann er lassen. Was macht Kabusch trotzdem verkehrt? Ein belesener Mann, das muß man zugeben, und dabei nicht vorlaut; man muß ihn erst fragen, damit er spricht. Ob es denn auch stimmt, was Kabusch zu diesem oder jenem Thema weiß, bleibt allerdings fraglich, solange nicht irgend jemand dazu nickt, und das ist nicht immer der Fall; nicht immer ist jemand da, der auch einigermaßen Bescheid weiß. Dann läßt man dieses Thema. Er ist Bibliothekar. Neuerdings hat er einen Lehrauftrag an der Universität, was seine Bekannten etwas verwundert, aber man gönnt es ihm; offenbar braucht Kabusch solche Bestätigung.

...

Was Kabusch (wer immer er ist) sich nicht leisten kann: Stolz. Dann wirkt es bloß, als sei er beleidigt, also peinlich.

...

Unter besonderen Umständen vergißt er, daß er Kabusch ist; zum Beispiel hat er einmal eine Totenrede zu halten, da er den Verstorbenen gekannt hat wie kein andrer. Ein jüngerer Kollege sagt ihm nachher, seine Rede sei gar nicht peinlich gewesen, Ehrenwort, nicht im mindesten peinlich. Solcher Zuspruch erschreckt ihn am offenen Grab.

...

Kabusch ist sein Spitzname als Schüler. Das Gerücht, seine Mutter sei beim Zirkus gewesen, ist nicht aus der Klasse zu bringen. Seine Anfälle von Jähzorn deswegen. Meint Kabusch vielleicht, er sei etwas Besonderes, weil seine Mutter beim Zirkus gewesen ist? Er merkt lange nicht, was Kabusch heißt. Zum Beispiel sorgt er für einen Fußball, einen aus Leder, ferner sorgt er für die Erlaubnis, die Wiese benutzen zu dürfen für das Ereignis des Jahres. Will er auch noch für gutes Wetter sorgen? Als die Klasse, der er mit Stolz angehört, die Mannschaft zusammenstellt, scheint es nur Kabusch zu verwundern, daß er weder als Torhüter noch als Stürmer gefragt ist; auch die andern Posten sind schon vergeben worden, während Kabusch, übrigens der einzige mit regelrechten Fußballschuhen, die Strafraumgrenze ausgemessen und mit Sägemehl sorgsam markiert hat. Vielleicht braucht man einen Ersatzmann? Man wird sehen. Wer bestimmt eigentlich? Eigentlich niemand: es ergibt sich so. Kabusch soll sich jetzt nicht wichtig machen, weil er den Fußball geliefert hat; er kann ihn nach dem Spiel wiederhaben. Nichts weiter.

...

Jedermann macht in Gesellschaft einmal einen Witz auf Kosten andrer, die nicht zugegen sind; nur Kabusch kann sich das nicht leisten. Zwar wird gelacht, nur weiß er sofort, daß sein Witz ungerecht ist und erschrickt; Kabusch ist auf Gerechtigkeit angewiesen.

...

Ein andrer, der ungefähr die gleichen Voraussetzungen hat und sich in der gleichen Gesellschaft bewegt, schlägt einfach zurück und wird Großunternehmer, Großwerbefachmann, Großverwaltungsrat usw. Er denkt nicht daran, sein Haus freundschaftlich beschädigen zu lassen oder sich anzuhören, daß seine Rede durchaus nicht peinlich gewesen sei, oder die Rechnung für alle zu bezahlen, bloß weil er empfindlich ist, oder zu verstummen, wenn niemand nickt, oder überhaupt etwas verkehrt zu machen; er denkt ja nicht dran und ist ein Emporkömmling auch, Sohn eines Hauswartes, Rotary-Member, eine frohe und gewinnende Persönlichkeit.

...

Tut Kabusch sich selber leid?

...

Als Lehrling protestiert er gegen Überstunden für außerfachliche Dienstleistungen. Es bekommt ihm nicht, wenn Kabusch protestiert; dann kann es geschehen, daß er stottert. Hingegen gewinnt er den Preis in einem Lehrlingswettbewerb der Stadt; das spricht für seinen Lehrmeister.

...

Es hat nichts mit Herkunft zu tun. Sein Vater ist kein Arbeiter gewesen, seine Mutter nicht einmal gerüchtweise beim Zirkus. Daran kann es nicht liegen. Noch Ende des 19. Jahrhunderts spielte seine Familie eine nationale Rolle. Er fährt einen Volkswagen. Warum keinen Bentley? Das nimmt man Kabusch nicht ab, dies nebenbei. Ein ungeduldiger Schauspieler ruft laut ins Atelier: Wer ist denn hier der Kamera-Mann? Dabei steht er neben der Kamera, seit einer Stunde bereit. Kabusch kommt nicht an (wie es im Jargon der Schauspieler heißt); zum Beispiel muß er die Arbeiter im Atelier dreimal bitten, wenn Kabusch etwas braucht; brüllt er, so entsteht lediglich der Eindruck, Kabusch sei seiner Sache nicht sicher. Dann macht er's lieber eigenhändig. Werden später die Aufnahmen zur Probe vorgeführt, so entschuldigt er sich: es sei natürlich erst ein Rohschnitt, die Kopie leider zu dunkel usw. Man zeigt Nachsicht: Bitte! Nachher sagt der Schauspieler: Mensch, das ist ja prima! Eines Tages erscheint er mit einer neuen Freundin, die Aufsehen erregt: eine black-beauty. Man macht ihr den Hof, als gehöre Kabusch nicht zu ihr. Man glaubt das einfach nicht. Unser Kamera-Mann soll sich nicht übernehmen. Als sich erwiesen hat, daß diese Frau trotzdem zu Kabusch gehört, behandelt man sie allmählich wie Kabusch. Er kann das nicht verhindern. Believe it or not, das hat nichts mit Rassismus zu tun.

...

Es gibt Kabusche in jedem Beruf. Ich beobachte einen Kellner. Die andern Kellner, die doch die gleichen Speisen aus der gleichen Küche servieren, hören von den Gästen nie eine Beschwerde; nur Kabusch eignet sich dafür. Sogar von Tischen, wo er gar nicht bedient, wird Kabusch gerufen: wegen Durchzug, es fehle noch immer der Senf usw. Er mißversteht das auch nicht; sie mögen Kabusch, das weiß er. Als er Oberkellner wird, ändert sich eigentlich nichts; immer die Flasche, die Kabusch entkorkt, riecht leider etwas nach Korken.

...

Es kann sich auch um eine weibliche Person handeln. Zum Beispiel glaubt man nicht, daß ihre Berufstätigkeit (Psychiatrie) etwas anderes als Ersatz sei. Was sie so sagt, ist klug. Das muß man zugeben. Wieso zugeben? Übrigens kocht sie auch ausgezeichnet, obschon sie neuerdings an Kongressen spricht. Man rühmt sie für ihre Hilfsbereitschaft, die auch ausgenutzt wird, und umgibt sie mit einer Mischung von Wohlwollen und Mitleid, das sie unsicher macht, manchmal auch steif. Was macht sie verkehrt? Sie hat Kinder. Wenn grad von Kindern die Rede ist, wird es sofort anders; man läßt sie reden, und Lisbeth kann sich entfalten, und es überzeugt, bis sie wissenschaftlich argumentiert. Nichts gegen die Argumente, aber man nimmt ihr den Jargon nicht ab, den man selber spricht, Jargon als eine Ausdrucksweise, die dem Sprechenden selber Eindruck macht. Wie gesagt, sie kocht ganz ausgezeichnet. Natürlich weiß sie in ihrem Fach mehr als die Gäste; das schon. Man hört ja auch zu. Nur ihr Mann zeigt sich dann nervös, hütet sich aber, das Thema zu wechseln. Merkt Lisbeth es nicht? Je länger sie spricht, um so weniger ist sie vorhanden, und es ist nichts zu machen; ihr Wissen, bestätigt durch zwei Diplome, steht ihr nicht. Sie kleidet sich durchaus elegant; dann immer die Frage: Wo haben Sie bloß diesen tollen Mantel her? mit der Versicherung: Das steht Ihnen aber! und mit einer Rückfrage an ihren Mann: Oder finden Sie denn nicht? als sei das von Mal zu Mal verwunderlich, ein Glücksfall, als könne die Psychiaterin keinen eignen Geschmack haben. Irgendwann im Lauf des Abends, spätestens in der Garderobe kann ihr Mann es nicht unterlassen, offensichtlich gegen ihren Wunsch beiläufig zu erwähnen, was sie, als Psychiaterin, alles leistet, zum Beispiel im Institut, ganz zu schweigen von den Konferenzen und Kongressen, ferner schreibe sie ein Buch usw. Wieso ist es ihr peinlich? Dann faltet sich ihre Stirne über dem Ansatz einer schönen Nase; es sei kein Buch, eher eine Broschüre. Es ist peinlich; die Gäste stehen bereits in ihren Mänteln und möchten sich bedanken.

...

Irrtum von Kabusch: er meint sich durch Leistung rechtfertigen zu müssen, zu können. Das gerade entwertet seine Leistungen von vornherein. Er geht nicht ohne Erfolge aus; nur geben sie ihm, Kabusch, keinen Glanz.

...

Es ist besser, wenn er nicht trinkt wie die andern; dann vergißt er, daß er Kabusch ist, und wird mit Schrecken erwachen am andern Tag.

...

Er ist Sprecher beim Fernsehen. Die Nachrichten, die er mit seiner korrekten Aussprache versieht, sind in der Regel so wichtig, daß man sie auch Kabusch abnimmt. Das spürt er, ohne seinerseits das Publikum zu sehen, die Leute in den Stuben und in den Wirtschaften. Was man weniger abnimmt: die bunte Krawatte, Maßanzug, Siegelring (neuerdings verzichtet er auf diesen Siegelring, offenbar hat man es Kabusch gesagt) und seine Frisur, überhaupt die Person. Dabei gibt er sich alle Mühe, nicht persönlich zu erscheinen. Es geht um Staatsbesuche, Katastrophen, Staatsstreiche, Gipfeltreffen, Verbrechen, Reisen des Papstes usw. Er vermeidet jede Miene dazu, die Kabusch sich nicht leisten kann, ausgenommen vielleicht eine unwillkürliche Miene der Erleichterung, wenn er zu den Wetteraussichten kommt. Für Augenblicke verdeckt ihn dann die Wetterkarte mit den vertrauten Landesgrenzen. Als er zum Schluß, wieder allein im Bild und jetzt mit

Blick gradaus, wie üblich Gutenacht wünscht, sagt jemand in der Bar: Dir auch! Alle lachen.

...

Es ist nicht leicht für die Kinder, Kabusch als Vater zu haben. Zumindest meint er das; seine Großmütigkeit erscheint wie Werbung, wenn nicht sogar wie eine Art von Wiedergutmachung.

...

Ab und zu bezeichnet er sich als Idiot.

...

Es kommt auch vor, daß er sich stellt, daß er es uns zeigen will: er blickt aus Wahl-Plakaten und wird Bürgermeister. Die Wähler haben Kabusch erkannt: er wird sich Mühe geben, dieser Mann, er wird sie nicht erschrecken, dieser Mann, er wird sich nichts leisten können.

...

Was er sich anrechnet: daß er kein Hochstapler ist. Dabei hat Kabusch diesbezüglich gar keine Chance: es wirkt schon wie Größenwahn, wenn er, Kabusch, sich etwas nicht gefallen läßt.

...

Der Concierge im Hotel, der Kabusch erkannt hat, nickt freundlich, fast familiär: nachdem er allen andern den Schlüssel überreicht hat, fragt er gar: Wie geht's, Herr Doktor, wie geht's? und nachdem er sich mit dem Portier noch unterhalten hat, gibt er Kabusch den Schlüssel.

...

Es hilft nichts, daß Kabusch, der Kamera-Mann, in Cannes eine Auszeichnung bekommt: man weiß, wie derlei zustande kommt, und es ist freundlicher, wenn man nicht davon spricht. Er selber spricht auch nicht davon und tut gut daran.

...

Wie ehrgeizig ist Kabusch?

...

Habe ich ein Argument, das eben noch einigermaßen überzeugt hat, und Kabusch kommt dazu, Kabusch bringt dasselbe Argument (mit seinen Worten), so habe ich fortan ein Argument weniger. Es überträgt sich.

...

Manchmal meint er, es würde genügen, daß er, Kabusch, beispielsweise um die nächste Straßenecke geht, dort eine Weile wartet, dann zurückkommt: ohne Kabusch. Wie irgendeiner.

Ohne Erinnerung an alles, unbefangen. Nichts weiter. Ohne sich zu entschuldigen, daß er sie eine Weile hat warten lassen, eine Viertelstunde oder ein Vierteljahr. Darauf käme es vermutlich an: ohne sich zu entschuldigen für Kabusch.

...

Vielleicht meint ein andrer, es liege daran, daß sein Vater eine bekannte Persönlichkeit am Ort gewesen ist. Noch als Fünfzigjährigen fragt man ihn: Und was machen Sie? Dann sagt er's. Warum zuckt Kabusch dabei die Achsel? Eine Weile lang ist man aber besonders nett zu ihm.

...

Jemand erzählt gerade von einem Mann, der eines Tages alles aufgegeben hat, seine Lehrerstelle, sein Einkommen, seine Ehe. Wer von uns wagt das? Kabusch sitzt schweigsam dabei; er braucht sich nicht zu erwähnen, tut es auch nicht mit einer Miene. Es ist nie dasselbe, wenn Kabusch dasselbe tut.

...

Selbstmord würde man Kabusch nicht abnehmen, d. h. den Tatbestand schon; nur fände man es in seinem Fall eher peinlich.

...

Ein andrer versucht es mit Auswanderung. Kabusch in Canada. Obschon er gemeint hat, er mache sich keine Illusionen, kommt er ins große Geschäft. Zum Beispiel als Architekt. Sein Sommersitz mit Wäldern, mit einer eigenen Meeresbucht, mit Rindern usw. ist sagenhaft und verwundert ihn mehr als seine Gäste, die derlei gewohnt sind. Eines Tages sagt jemand: Das hätten Sie sich auch nicht träumen lassen, wie? Er erkennt seine Illusion, Kabusch werde in Canada nicht erkannt.

...

Hält er sich für ausweglos?

...

Ich beobachte es nicht an ihm, aber an den andern: neuerdings fühlen sie sich freier in seiner Gegenwart, ungenötigt, er ist nicht mehr Kabusch. Dabei hat er dieselben Marotten, dieselben Fähigkeiten: er kleidet sich auch nicht anders, und dabei nähme man es ihm sogar ab. Sie wissen nicht, was vorgefallen ist; kaum jemand klopft ihm noch auf die Schulter, oder wenn es aus Gewöhnung nochmals geschieht, so merkt man, daß er sich nicht dafür eignet – er lacht ... Wir müssen uns einen andern Kabusch finden.

MAX FRISCH

Gestern abend bei den Corbins

Gestern abend bei den Corbins hörten wir den *Messias,* danach einen russischen Chor – ein liturgischer Gesang von Glasunow – ganz außergewöhnlich. Drei Stunden höchster Ergriffenheit.

Schrecklich bei der Musik ist, daß danach nichts mehr einen Sinn hat, denn nichts, wirklich nichts, kann bestehen, wenn man aus ihren »Wundern« heraustritt. Mit ihr verglichen kommt uns alles entwürdigt, unnütz, banal vor. Ich kann verstehen, daß man sie haßt und der Versuchung erliegt, ihre Wunder der Zauberei, ihr »Absolutes« einem Trugbild gleichzusetzen. Man muß unbedingt gegen sie reagieren, *wenn man sie zu sehr liebt.* Niemand hat die Gefahr besser verstanden als Tolstoi; er hat sie heftig angeprangert, denn er wußte, daß sie mit ihm machen konnte, was sie wollte. Er begann sie zu hassen, um nicht ihr Spielzeug zu werden.

E. M. CIORAN

So viele Jahre

So viele Jahre, in denen man nichts anderes getan hat, als Beziehungen zu knüpfen; wenn man begreift, daß es zu nichts geführt hat, ist es zu spät, um sie abzubrechen: man ist auf den Geschmack gekommen, und es ist unendlich viel schwieriger, sich davon zu lösen, als sich daran zu klammern.

Man hätte bereits mit dem Alphabet die Loslösung lernen und von Anfang an erkennen müssen, daß zu verlangen die Überwindung des Verlangens ist, und zu leben sich über das Leben stellen.

E. M. CIORAN

Holterdiepolter

Leben – ein Holterdiepolter,
noch im ruhigen Vergehn.
Eine besondere Folter:
für manche ausersehn,

die mit sich nicht im Reinen,
wie man es manchmal hört
und nicht mit beiden Beinen
im Leben: aufgestört,

nicht mehr dem Dasein genügen,
das ihnen die Wahrheit zeigt,
wie man's in vollen Zügen
geniesst – und das meiste verschweigt.

KARL KROLOW

Verjagt aus dir selber

Verjagt aus dir selber, entweichst du dir nicht,
das ist das Spiel,
das die Pinien, mit Sonne beworfen,
den Schatten spenden,
wo sich die Barthaare drängen.

PAUL CELAN

Am Spiel also haben wir eine Schnittstelle von grenzenlosem Potential. »Denn, um es endlich einmal herauszusagen, der Mensch spielt nur, wo er in voller Bedeutung des Worts Mensch ist, und er ist nur da ganz Mensch, wo er spielt.« Ein feierliches und erstaunliches Geständnis für einen Dichter, der im Geruch unmenschlicher Forderungen und hochprozentiger Moralsäure steht. Hier gibt er sich als souveräner Amoralist zu erkennen – nicht unmoralisch, sondern frei von Moral; darum auch, wenn es darauf ankommt, frei zur Moral. Im Spiel, und hier allein, erkennt er kein irreversibles Gefälle zwischen dem Höchsten und dem Niedrigsten, sieht er keine schiefe Ebene der Humanität, sondern einen stufenlosen Übergang vom Tier zum Gott. Denn auch Götter sind nur ganz, was sie sind, wenn sie spielen. Diese Gleitrampe muß der Pyramidenbauer, der Zivilisationsheros zu nützen wissen, und er ist, in gebotener Stille, vom Künstler oder Dichter zum Exponenten der Humanität schlechthin geworden, der die – wenn auch immer noch mit Händen zu greifende – Vorliebe für Geist und Form zugunsten des Eros für die Sinnlichkeit der Stoffe zurückstellt: ein Kenner unserer Sorte, der für fast jedes Quid pro quo gut ist. Wie er auch im Pfuhl der Sinne »Keuschheit« des Geschmacks zu entdecken vermag, so schreibt er in der Folge dem Antagonisten, der von oben kommt, einen »Trieb« zu, den er Formtrieb nennt, um ihn dem »Stofftrieb« ebenbürtig, um ihn zum guten Spielgefährten zu machen. Denn Hochmut und Überheblichkeit wären keine guten.

Wahrhaftig: wo bisher eitel Unschuld zu walten schien und alles auf pädagogische Reinheit angelegt schien, sieht Schiller jetzt nichts Höheres, nichts Geringeres als »Trieb« am Werk. Wo das Letzte im Spiel ist, das Höchste auf dem Spiel steht, ist nichts weiter als das beste, das kühnste und klügste Spiel gefragt. Und dafür spricht Schiller sogar die Lust zum Niedrigen von Niedrigkeit frei. Dafür rechtfertigt er das Verlassen von Prinzipien, feuert den heiligen Enthusiasmus an, sich ruhig gemein zu machen, denn nur so entsteht wahre Spielgemeinschaft; nur so wird am Ende das Spiel ungemein.

Ich kann die kühnen, überaus reflektierten, dabei »praxisorientierten« Wendungen und Windungen nicht alle nachzeichnen, die Schiller seinen Spielfeinden, dem Formtrieb, und dem Stofftrieb, vorschreibt, bevor sie sich im Spieltrieb vereinigen und für die Humanität, ja auch: für Gesellschaft, Staat und Politik fruchtbar werden können. Es ist ein Szenario der Liebesspiele, ein Kamasutra für Kopf und Bauch, und hinterrücks sogar ein Manual der Staatskunst: der Augustenburger, wenn er lesen und genießen kann, bekommt seinen Fürstenlernstoff pikant. Im Grunde aber ist es eine Anweisung zur tiefsten und subtilsten aller Künste, der Lebenskunst, welcher die explizite Kunst als Platzhalter, der ästhetische Diskurs zur Stellvertretung dient. Es ist eine praktische Heilsgeschichte, in der Stofftrieb und Formtrieb die Stelle des ersten Menschenpaars, Adam und Eva, einnehmen und sich in einem fortdauernden Akt sensibler Begegnung von der Sünde reinigen, die ihnen eingefleischt ist. Dieses Fleisch entdeckt den Geschmack am Geist; für das umgekehrte Bedürfnis bedarf es – bei diesem Poetiker der Zivilisation – keiner Extra-Veranstaltung: dieser Schöpfer kennt seinen Pappenheimer, den Geist und seine Lüsternheit. In dieser neuen unheilen und unheiligen Heilsgeschichte nimmt der Dichter die Stelle des Vorspielers ein und läßt diejenige des Erlösers offen: ihm genügt die Passion.

ADOLF MUSCHG

In einer schäbigen Hafenkneipe

In einer schäbigen Hafenkneipe in der Stadt Thessaloniki spielten zwei Männer, ein gewisser Hankonen und einer namens Donadoni, Plakato, ein uraltes Brettspiel mit zwei Würfeln. Sie hatten schon den ganzen Abend gespielt, anfangs friedlich, mit Maßen; mal gewann der eine, mal der andere. Im Laufe des Abends übernahm Donadoni die Führung, und das Spiel wurde härter. Am Ende spielten sie um die Welt.

Die Kneipe trug den Namen Gaia und gehörte einem israelischen Sänger namens Gali Tevel, Nachkomme einer Saloniker Stauersippe – sein Vater hatte als einziger seiner Familie die Verfolgung durch die Deutschen während des Kriegs überlebt und war nach Israel ausgewandert. Außer den zwei Würfelspielern war niemand in der Kneipe, keine Kunden, kein Personal. Donadoni holte hinterm Tresen eine Flasche fünfsternigen Metaxas hervor und schenkte die Gläser ein. Hankonen würfelte und trank sein Glas in einem Zug leer. Donadoni schlürfte in kleinen

Zügen, wobei er ab und zu sein Glas gegen das Licht hob, als taxiere er die goldene Glut des Brandys, und zähmte seine Ungeduld. Er war am Gewinnen und sah bereits seinen endgültigen Sieg voraus, bevor er überhaupt einen Blick auf das Spielbrett geworfen hatte.

Hankonen sah als erster hin und verstand sofort, daß er verloren hatte. Er stand abrupt und zornig auf, ging zur Jukebox, steckte ein Hundertdrachmenstück in den Schlitz und drückte auf die Wählknöpfe. Ein klirrender Busukilauf kletterte wie eine Mäanderranke an einem Gitter von Motiven entlang, dann stimmte eine tiefe nasale Männerstimme einen melancholischen Rebetiko an, abwechselnd in griechischer und hebräischer Sprache. Das Lied erzählte von einem Mann, den die Sehnsucht gleichzeitig in zwei Richtungen reißt, zu zwei verschiedenen Frauen, und der Mann kann sich natürlich nicht entschließen, zu welcher er gehen soll, sondern bleibt irgendwo in der Mitte am öden Strand der Insel Naxos hängen, wo er sein Schicksal beklagt. Der Sänger war Gali Tevel selbst, dieser hatte in seinem Alter auch auf Griechisch zu singen begonnen und fleißig Platten eingespielt, weil er irgendwie fand, er sei das der Geburtsstadt seines Vaters schuldig.

»Eingebildeter Kerl«, meckerte Hankonen, als er das Repertoire der Box durchging und feststellte, daß alle Stücke von Gali gesungen und alle Platten von ihm selber produziert waren.

»Weil er zufällig der Besitzer dieser Kneipe hier war«, bemerkte Donadoni. »In Israel war er sehr beliebt.«

»Allein in diesem Block hat ein halbes Dutzend besserer Sänger als er gewohnt.«

»Wohnen aber nicht mehr«, bemerkte Donadoni gelassen, aber nicht ohne Sarkasmus, »kein einziger von denen wohnt mehr hier, auch sonst keiner, und auch von Gali hat man eine ganze Weile nichts mehr gehört.«

»Erfolg ist vergänglich, besonders in dieser Welt«, sagte Hankonen, »heute bist du auf dem Gipfel, morgen schon Geschichte, die keiner schreibt, und wenn sie jemand schreibt, dann liest sie keiner.«

Donadoni warf seinerseits die Würfel, zählte die Augen zusammen und fühlte eine Sekunde lang den Jubel in der Brust. Er sah auf Hankonen, aber dieser hatte bereits alles Interesse am Spiel verloren. Donadonis Freude erlosch im selben Augenblick, mechanisch schob er auch noch die restlichen Steine aus seinem Feld heraus. Er hatte das Spiel nach zwei Verlängerungen mit acht Punkten gewonnen. Hankonen hätte das verstehen und schon längst aufgeben müssen, aber er hatte, wie es seine Gewohnheit war, stur weitergemacht. Wie auch immer. Hankonen hatte verloren und schuldete Donadoni die Welt. Der aber war unzufrieden mit dem Zustand der Welt und wollte darauf zu sprechen kommen.

»Sag lieber, daß die Welt vergänglich ist, daß das Leben vergänglich ist, vor allem das menschliche Leben«, fuhr Donadoni, der Spur seiner Gedanken folgend, fort.

»Das weiß ich doch, wenn jemand es weiß, dann ich«, entgegnete Hankonen.

»Da hast du recht, du kennst die Geheimnisse des menschlichen Lebens, du weißt, wie das Leben entsteht, wie es blüht, welkt und vergeht, das weißt du«, sagte Donadoni süffisant.

»Das wissen doch alle«, brummte Hankonen und zog die Jukeboxschnur aus der Wand. »Dieses Polypengesinge hält ja keiner aus.«

»Aber mußte das Menschenleben so definitiv enden? Und so verdammt plötzlich? Wie der Flug des Huhns? Wie der Hals des Hahns? Wie das Gackern der kopflosen Pute?« wollte Donadoni wissen.

»Red keinen Quatsch? Das Leben endet, wenn es enden muß. Du bist schließlich am Leben, das ist doch was, wenigstens aus deiner Sicht gesehen. Freue dich! Jubiliere! Jauchze!«

DANIEL KATZ

Abgehen hieß früher sterben

EINHEIMISCHER *ihnen nachblickend:* Abgehen hieß früher sterben ... – Eigentlich keine schlechte Gesellschaft: Alle Generationen miteinander, Alte, Mittelalte, Junge, ein Fastkind. Ein Idiot, zwei Königskinder, einer, dessen Güte sein unverwüstliches Schauen ist, ein nützlicher Schwarzseher, ein im Wegeauskundschaften erfahrenes Landmenschenpaar. – Aber ein wie ungewisser Weg, und wie schwach sie sind, ohne Rüstung – und dabei wie beladen, sie alle! Wie schlingert ihr Schiff in unbekannten Meeren. Und wie unwillkommen ihresgleichen heute allüberall. Den Fragemenschen, den Forscher, werdet ihr heutzutage daran erkennen, daß er ein Flüchtling ist. (*Er streckt den Stock nach den Entschwundenen aus:*) Mögen sie – ohne es zu verleugnen – das Schwere verlieren und das

Leichte gewinnen. Möge das Weitere ihnen leichter werden, und mögen vor allem sie selber sich leichter werden. Mehr Spiel auf ihrer Forschungsreise! Herzhaftes Spiel. Haben sie nicht gerade ihre Schonzeit? So mögen sie diese weiter nützen. Bel Pacific! Zeit genug! Weiter ins Hinterland mit ihnen! Und mögen sie vom Fragen immer wieder ausruhen dürfen. Nicht immer nur fragen. (*Indem er sich den Hut wieder aufsetzt, geht mit ihm eine Verwandlung vor sich. Der Stock erscheint wieder als Gewehr, der Schlüsselbund rasselt, im Wamsschlitz hinten blinkt ein Patronengurt. Mit veränderter Stimme:*) Sie, die Frage*wunden* – und ich, der Frage*tote*. Seit meinen fünf Jahren, zwei Monaten und drei Tagen im Jugendzuchthaus ein Fragetoter – und ein Fragetot. (*Er schlägt seinem Vater noch einmal den Schädel ein:*) Von mir werdet ihr keine Fragen hören, oder wenn, dann Scheinfragen. Ich kenne nur unnütze Fragen. Und ich hasse jeden Frager. Wir brauchen keine Frager mehr. Wir brauchen keine Träumer mehr. (*Wieder eine Verwandlung – in Panik:*) Wo bin ich? Fremde, zeigt mir den Heimweg. Oder seid ihr wieder nur die üblichen Einheimischen? Dann nichts wie weg! (*Ein Moment des Innehaltens:*) Alter Wanderpoet! Dein »Hauslos zwischen Himmel und Erde / Zwei Wanderer«, stimmt das denn noch? Geht ein Einsamer auch heute noch zu zweit mit seinem Gott? *Er rennt von der Bühne, zuerst in die eine, dann in die andere Richtung, und zuletzt ist von ihm noch der Krach zu hören, mit dem er irgendwo anstößt. Im Dunkelwerden fernes Hundegebell, und darüber eintönige Habichtschreie.*

PETER HANDKE

Mensch ärger dich nicht

Draußen die Toten im Regen.
Wir aber sitzen im Lichtkreis der Lampe
und spielen Mensch-ärger-dich-nicht.

Du darfst noch einmal würfeln.

Ob sie durch uns deutlicher werden?
So wie das Dunkel die Lampe erfand,
der Tod das »Mensch-ärger-dich-nicht«?

Jetzt fliegst du raus, mein Lieber.

Ach, wüßten die Toten da unten im Dunklen,
ob oben die Lampen noch funktionieren,
bis auch die Sterne ausgelöscht werden.

Mensch, wirf doch die Männeln nicht um.

THOMAS ROSENLÖCHER

Ein Kinderspiel

Was machen Sie heute? Wohin zieht es Sie am meisten? Ruhe haben, aber es sollte doch auch »was los sein«. Ein Besuch bei Freunden, aber endlich auch mal wieder allein sein. Später wäre noch ein interessanter Film im Fernsehen zu sehen, aber auch ein paar Unterlagen wären noch zu bearbeiten ... Ach! – Seufzer aller Dichter, auch derer, die zu Dichtern ihres Lebens werden wollen: Ach, wenn da nicht immer diese innere Zerrissenheit wäre! Daß von außen an einem gezerrt wird, das geht ja noch, aber dieses innere Gezeter!

Es ist fast so wie bei den Kindern. Kinder möchten gerne alles gleichzeitig machen. Kein Problem, sie müssen sich nur zerteilen, ein Kinderspiel: Die Augen, keine Frage, bleiben ganz alleine vor dem Fernseher sitzen, sie sind voll beschäftigt. Die Zunge hängt sich unverzüglich an ein Eis und leckt daran hingebungsvoll, endlich geht es um ihren Willen ganz allein. Der Kopf, aus dem die Augen herausgeschraubt sind, sitzt vor den Rechenaufgaben; das kann er alleine besser, als wenn Augen und Zunge ihn dabei stören. Die Füße sind schon unterwegs zum Spielplatz; sie freuen sich darüber, so unbeschwert losmarschieren zu können, während der Hintern noch auf dem Klo sitzt und lediglich die Hände vermißt, die ihn abputzen sollen, jetzt aber gerade mit voller Konzentration den komplizierten Bausatz eines Legomobils zusammenmontieren. Die Zehen befinden sich währenddessen einzeln in den Händen der Eltern, die sie endlich einmal gründlich reinigen können, allerdings hinterher aufpassen müssen, sie nicht in der verkehrten Reihenfolge wieder anzuschrauben. Das größte Glück aber widerfährt dem Mund, der ohne Rücksicht auf andere Teile munter drauflos plappern kann, ohne noch irgendeine lästige Pause machen zu müssen.

»Aber ich«, sagt plötzlich das Kind, das der Zerlegung seiner selbst fasziniert beiwohnt, »wo bin da noch ich?« In der Tat, das ist das einzige Problem: Von einem integrierten Ich lässt sich nun nicht mehr sprechen, jeder Ich-Teil geht seinen eigenen Weg. Wenn das Ich also Wert darauf legt, ein Ich zu sein, kommt es nicht umhin, seine Teile zusammenzufügen und sie so zu organisieren, daß alle zum Zuge kommen, aber nicht unbedingt alle zugleich. Schmerzliche Entscheidungen sind zu treffen, kein Kinderspiel. Das ist die Arbeit an der eigenen »Kohärenz«. Wissen Sie nun, was Sie heute tun?

WILHELM SCHMID

Vertigo

Alles dreht dich im Kreis: die Erde, dein Leben, der
rote Wein.
Und doch, wer sieht schon das Karussell im Zifferblatt
einer Uhr?
Lieber vergißt man, umschlingt einen Frauenkörper,
schläft ein,
Selig, ein Fötus, als hinge man immer noch an der
Nabelschnur.
Vergräbt sich in Bauch und Schenkeln bis über beide
Ohren.
Was hilft es, das Auge am Schlitz eines Türspions zu
verdrehn?
Man steht immer vor Kreuzen und Gittern, einer Welt aus
Sektoren.
Wozu sind Schienen da, wenn nicht, irgendwo
auseinanderzugehn?
Jede Landschaft mit Hügeln lockt wie Jahre, die ungelebt
blieben.
Stundenlang sitzt man vor Tellern, schält Apfel, richtet
den Blick
Auf den Mund gegenüber, sieht Worte und Münzen
zerrieben.
Man starrt Löcher ins Blaue, und der Ringfinger wird
langsam dick.
Nichts hat sich geändert, seit das Kind seinen ersten
Globus drehte,
Bis die Farben der Wüsten und Ozeane es schwindlig
machten.

Der Mensch bleibt, was er ist, eher Schnecke als
Trägerrakete.
Selbst ein Flug zwischen Kontinenten endet beim
Übernachten
In einem tristen Hotel, wo die Drehtür dich bald wieder
ausspuckt.
Braucht es Vokale, um zu begreifen: hier geht alles rund?
Eine Silbe wie *Gott*? Wen wundert es, wenn der
Herzmuskel zuckt,
Wenn der Tag nachts vergurgelt im traumschwarzen
Schlund?

DURS GRÜNBEIN

Jahre später, als ich zuschaute, wie sich das Trauergefolge meines Meisters durch den Paseo de Gracia bewegte, erinnerte ich mich an den Tag, an dem ich Gaudí kennengelernt hatte und sich mein Schicksal für immer änderte. In jenem Herbst war ich nach Barcelona gekommen, um an der Hochschule für Architektur zu studieren. Mein Traum, die Stadt der Architekten zu erobern, hing von einem Stipendium ab, das kaum für die Einschreibegebühren und die Miete eines Zimmers in einer Pension der Calle del Carmen reichte. Im Gegensatz zu meinen Studienkollegen mit ihrer Geckenerscheinung beschränkte sich meine Garderobe auf einen schwarzen, von meinem Vater geerbten Anzug, der mir fünf Nummern zu weit und zwei zu kurz war. Im März 1908 bestellte mich mein Tutor, Don Jaume Mascardó, in sein Büro, um meine Fortschritte und, wie mir schwante, meine unglückliche Erscheinung zu taxieren.

»Sie sehen aus wie ein Bettler, Miranda«, lautete sein Urteil. »Die Kutte macht zwar noch keinen Mönch, aber bei einem Architekten ist das etwas ganz anderes. Wenn Ihre Einkünfte zu knapp sind, kann ich Ihnen vielleicht helfen. Unter den Professoren heißt es, Sie seien ein aufgeweckter junger Mann. Sagen Sie, was wissen Sie von Gaudí?«

Gaudí. Allein die Erwähnung dieses Namens ließ mich erschauern. Ich war mit Träumen von seinen unglaublichen Gewölben, seinen neugotischen Riffs und seinem futuristischen Primitivismus aufgewachsen. Gaudí war der Grund, warum ich Architekt werden wollte, und mein größtes Bestreben – abgesehen davon, in diesem Kurs nicht zu verhungern – war es, ein Tausendstel der vertrackten Mathematik aufzunehmen, mit der der Architekt aus Reus, mein moderner Prometheus, die Anlage seiner Schöpfungen stützte.

»Ich bin sein größter Bewunderer«, brachte ich heraus.

»Das habe ich befürchtet.«

In seinem Ton hörte ich den Anflug von Herablassung, mit der man schon damals von Gaudí zu sprechen pflegte. Überall läuteten die Totenglocken für das, was einige Jugendstil, andere schlicht eine Beleidigung des guten Geschmacks nannten. Die neue Garde entwickelte eine Doktrin der Bündigkeit, die es nahelegte, die wahnwitzigen Barockfassaden, die mit den Jahren der Stadt ihren Stempel aufdrücken sollten, öffentlich zu brandmarken. Gaudí, der Junggeselle, kam immer mehr in den Ruf eines menschenscheuen Spinners, eines Phantasten, der das Geld verachtete (das unverzeihlichste seiner Vergehen) und besessen war vom Bau einer phantasmagorischen Kathedrale, in deren Krypta er die meiste Zeit verbrachte, gekleidet wie ein Bettler, Pläne zeichnend, die die Geometrie herausforderten, und überzeugt davon, daß sein einziger Kunde der Allmächtige war.

»Gaudí ist bescheuert«, fuhr Mascardó fort. »Jetzt will er auf die Casa Milá, mitten auf dem Paseo de Gracia, eine Muttergottes von den Ausmaßen des Kolosses von Rhodos stellen. Das ist vielleicht ein Hammer. Aber verrückt oder nicht, und das muß unter uns bleiben, es hat noch nie einen Architekten gegeben wie ihn, und es wird auch nie wieder einen geben.«

»Das denke ich auch.«

»Dann wissen Sie ja, daß es sinnlos ist, wenn Sie seine Nachfolge anzutreten versuchen.«

Der ehrwürdige Professor mußte den Kummer in meinem Blick lesen.

»Aber vielleicht können Sie sein Gehilfe werden. Einer der Llimonas hat mir gesagt, Gaudí brauche jemanden, der Englisch spricht, fragen Sie mich nicht, wozu. Was er suche, sei ein Dolmetscher ins Spanische, denn dieser Dickschädel weigert sich, etwas anderes als Katalanisch zu sprechen, vor allem, wenn man ihn Ministern, Infantinnen und so Prinzchen vorstellt. Ich habe mich erboten, einen Kandidaten zu suchen. *Du ju spiik Inglisch*, Miranda?«

Ich schluckte und beschwor Machiavelli, den Schutzpatron rascher Entscheidungen.

»*A litel.*«

»Dann *congratjuleischons*, und Gott steh Ihnen bei.«

Am selben Abend machte ich mich gegen Sonnenuntergang auf den Weg zur Sagrada-Familia-Kirche, in deren Krypta Gaudí sein Atelier hatte. In diesen Jahren faserte das Ensanche-Viertel auf der Höhe des Paseo San Juan aus. Jenseits breitete sich eine Fata Morgana von Feldern, Fabriken und einzelnen Häusern aus, die sich im Raster eines verheißenen Barcelona wie einsame Wachposten erhoben. Nach kurzer Zeit zeichneten sich die Nadeln der Apsis in der Dämmerung ab, Dolche gegen einen scharlachfarbenen Himmel. Ein Wachmann mit einer Gaslampe erwartete mich in der Tür zur Baustelle. Ich folgte ihm durch Säulengänge und Bögen bis zu der Treppe, die in Gaudís Atelier hinabführte. Als ich die

Krypta betrat, spürte ich mein Herz in den Schläfen pochen. Ein Garten aus Fabelwesen wiegte sich im Schatten. In der Mitte des Ateliers hingen ein paar Skelette in einem makabren Ballett anatomischer Studien vom Gewölbe. Unter dieser gespenstischen Bühnenmaschinerie fand ich ein weißhaariges Männchen mit den blauesten Augen, die mir mein Lebtag begegnet sind, und dem Blick eines Mannes, der sieht, wovon die andern nur träumen können. Er schaute von dem Heft auf, in dem er etwas skizziert hatte, und lächelte mich an. Er hatte ein kindliches, magisches, geheimnisvolles Lächeln.

»Mascardó hat Ihnen sicher gesagt, ich sei vollkommen verrückt und spreche nie Spanisch. Sprechen tu ich's schon, aber nur um zu *wider*sprechen. Was ich hingegen nicht kann, ist Englisch, und am Samstag schiffe ich mich nach New York ein. Sie hingegen können Englisch, junger Mann, nicht wahr?«

An diesem Abend fühlte ich mich als der glücklichste Mensch von der Welt, als ich mit Gaudí Gespräch und Essen teilte – eine Handvoll Nüsse und Salatblätter in Olivenöl.

»Wissen Sie, was ein Wolkenkratzer ist?«

Da es mir diesbezüglich an persönlicher Erfahrung fehlte, grub ich die Begriffe aus, die uns die Professoren von der Schule von Chicago, den Aluminiumgerüsten und der Erfindung des Tages, dem Otis-Aufzug, beigebracht hatten.

»Dummes Zeug«, fiel mir Gaudí ins Wort. »Ein Wolkenkratzer ist nichts weiter als eine Kathedrale für Leute, die statt an Gott ans Geld glauben.«

So erfuhr ich, daß Gaudí von einem Magnaten das Angebot erhalten hatte, mitten auf der Insel Manhattan einen Wolkenkratzer zu bauen, und daß es meine Aufgabe sein würde, bei dem Gespräch, das in neun Tagen zwischen Gaudí und dem rätselhaften Auftraggeber im Waldorf Astoria stattfinden sollte, den Dolmetscher zu machen. Die folgenden drei Tage verbrachte ich eingeigelt in meiner Pension und ackerte wie ein Wahnsinniger Englischgrammatiken durch. Am Freitag nahmen wir bei Tagesanbruch den Zug nach Calais, von wo aus wir die Fähre durch den Kanal nach Southampton nahmen, um uns auf der Lusitania einzuschiffen. Kaum an Bord des Kreuzers, zog sich Gaudí, krank vor Heimweh, in seine Kabine zurück. Er verließ sie erst in der Abenddämmerung des nächsten Tages wieder, als ich ihn im Bug sitzen und zuschauen sah, wie die Sonne an einem saphirblau und kupfern erleuchteten Himmel verblaßte. *Das ist Architektur, aus Dunst und Licht. Wenn Sie lernen wollen, brauchen Sie nur die Natur zu studieren.* Die Überfahrt wurde für mich zu einem blendenden Schnellkurs. Jeden Abend spazierten wir an Deck auf und ab und sprachen über Pläne und Träume, ja über das Leben. Da er keine andere Gesellschaft hatte und auch, weil er vielleicht spürte, welch andächtige Verehrung ich ihm entgegenbrachte, bot mir Gaudí seine Freundschaft an und zeigte mir die Entwürfe, die er von seinem Wolkenkratzer gemacht hatte, einer wagnerischen Nadel, die, sollte sie Wirklichkeit werden, vermutlich das wundersamste je von Menschenhand geschaffene Objekt wäre. Gaudís Ideen ließen einem den Atem stocken, und trotzdem konnte ich nicht überhören, daß in seiner Stimme weder Wärme noch Interesse lag, als er das Projekt kommentierte. Am Vorabend unserer Ankunft wagte ich es, ihm die Frage zu stellen, die seit dem Auslaufen an mir genagt hatte. Warum wollte er sich auf ein Projekt einlassen, das ihn Monate oder Jahre in Anspruch nehmen konnte, fern von der Heimat und vor allem von dem Werk, das zu seinem Lebensziel geworden war? *Manchmal braucht es die Hand des Teufels, um das Werk Gottes zu schaffen.* Und er gestand mir, daß, wenn er sich einverstanden erklärte, im Zentrum Manhattans diesen babylonischen Turm zu errichten, sein Kunde die Kosten für die Vollendung der Sagrada-Familia übernähme. Ich erinnere mich noch an seine Worte. *Gott hat keine Eile, ich aber werde nicht ewig leben ...*

In der Abenddämmerung kamen wir in New York an. Ein bösartiger Nebel wallte zwischen den Türmen Manhattans, dieser auf der Flucht unter einem gewitterpurpurnen und schwefligen Himmel verlorenen Metropole. Eine schwarze Kutsche erwartete uns auf den Piers von Chelsea und brachte uns durch dunkle Canyons ins Zentrum der Insel. Dunstschwaden stiegen aus den Pflastersteinen, und eine Unmenge Straßenbahnen, Wagen und dröhnende Mechanoiden raste durch diese Stadt höllischer Wohnwaben, die sich über sagenhaften Villen türmten. Gaudí beobachtete das Schauspiel mit düsterem Blick. Blutrotes Licht fiel wie Säbel aus den Wolken auf die Stadt nieder, als wir in die Fifth Avenue einbogen und die Silhouette des Waldorf Astoria erkannten, ein Mausoleum aus Mansarden und Türmen, auf dessen Asche sich über zwanzig Jahre später das Empire State Building erheben sollte. Der Hoteldirektor erschien persönlich zu unserer Begrüßung und teilte uns mit, der Magnat würde uns empfangen, sobald es dunkel wäre. Ich übersetzte alles geschwind, Gaudí nickte bloß dazu. Wir wurden in ein luxuriöses Zimmer im sechsten Stock geführt, von dem aus man die ganze Stadt in der Dämmerung versinken sehen konnte. Ich gab dem Boy ein sattes Trinkgeld und erfuhr so, daß unser Kunde in einer Suite in der obersten Etage wohnte und das Hotel nie verließ. Als ich ihn fragte, was für ein Mensch er sei und wie er aussehe, antwortete er, er habe ihn noch nie gesehen, und machte sich eilig davon. Zum Zeitpunkt unserer Verabredung stand Gaudí auf und warf mir einen ängstlichen Blick zu. Ein Fahrstuhlführer in Scharlachrot erwartete uns am Ende des Flurs. Während wir hinauffuhren, sah ich, wie Gaudí bleich wurde, kaum imstande, die Mappe mit seinen Skizzen festzuhalten. Wir gelangten in eine marmorne Halle, an deren Ende sich eine lange Galerie auftat. Der Liftboy schloß hinter uns die Tür, und das Licht der Kabine verlor sich in der Tiefe. Jetzt bemerkte ich, wie eine Kerzenflamme durch den Gang auf uns zukam. Die Kerze wurde von einer schlanken Gestalt in Weiß gehalten. Lange schwarze Haare rahmten das blasseste Gesicht, an das ich mich erinnern kann, und darin zwei blaue Augen, die in die Seele drangen. Zwei Augen identisch mit denen Gaudís.

»*Welcome to New York.*«

Unser Kunde war eine Frau. Eine junge Frau von verwirrender Schönheit, fast schmerzlich anzuschauen. Ein viktorianischer Chronist hätte sie als Engel beschrieben, aber ich sah nichts Engelhaftes in ihrer Erscheinung. Ihre Bewegungen waren katzenhaft, ihr Lächeln heimtückisch. Die Dame führte uns in einen Saal voller Halbschatten und Schleier, die im Widerschein des Gewitters leuchteten. Wir nahmen Platz. Gaudí zeigte seine Skizzen, eine nach der andern, und ich übersetzte seine Erklärungen. Eine Stunde – oder eine Ewigkeit – später heftete die Dame ihren Blick auf mich und bedeutete mir lippenstiftlippenleckend, sie jetzt mit Gaudí allein zu lassen. Verstohlen schaute ich den Meister an, und der nickte unergründlich. So bekämpfte ich meine Instinkte und entfernte mich gehorsam Richtung Gang, wo schon die Türen der Aufzugskabine aufgingen. Einen Augenblick blieb ich noch stehen, wandte mich um und sah, wie sich die Dame über Gaudí neigte, mit unendlicher Zärtlichkeit sein Gesicht zwischen die Hände nahm und ihn auf die Lippen küßte. Da erleuchtete ein kurzer Blitz die Dunkelheit, und einen Moment lang schien mir, bei Gaudí sei keine Dame, sondern eine düstere, leichenhafte Gestalt mit einem großen schwarzen Hund zu ihren Füßen. Das Letzte, was ich erblickte, bevor der Fahrstuhl seine Türen schloß, waren die Tränen auf Gaudís Gesicht, glühend wie giftige Perlen. Zurück in meinem Zimmer, legte ich mich aufs Bett, das Gemüt von Übelkeit erstickt, und wurde von blindem Schlaf übermannt. Als die ersten Lichter mein Gesicht streiften, lief ich zu Gaudís Schlafgemach. Das Bett war unberührt und vom Meister keine Spur zu sehen. Ich fuhr zur Rezeption hinunter und fragte, ob jemand etwas von ihm wisse. Ein Portier sagte, er habe ihn eine Stunde zuvor weggehen und die Fifth Avenue hinauf verschwinden sehen, wo ihn beinahe eine Straßenbahn überfahren hätte. Ohne erklären zu können, warum, wußte ich genau, wo ich ihn finden würde. Ich ging zehn Blocks bis zur St. Patrick's Cathedral, die um diese frühe Zeit menschenleer war. Von der Schwelle des Kirchenschiffs aus erkannte ich die Gestalt des Meisters, der vor dem Altar kniete. Ich trat zu ihm und setzte mich neben ihn. Ich hatte den Eindruck, sein Gesicht sei in einer einzigen Nacht um zwanzig Jahre gealtert und habe den abwesenden Ausdruck angenommen, der ihn bis ans Ende seiner Tage begleiten sollte. Ich fragte ihn, wer die Frau gewesen sei. Perplex schaute er mich an. Da wurde mir bewußt, daß nur ich die Dame in Weiß gesehen hatte, und obwohl ich mich nicht getraute, Vermutungen darüber anzustellen, was Gaudí gesehen hatte, war ich doch sicher, daß der Blick derselbe gewesen war. Am selben Tag schifften wir uns für die Rückreise ein. Als wir New York am Horizont verschwinden sahen, zog Gaudí die Mappe mit seinen Entwürfen hervor und warf sie über Bord. Entsetzt fragte ich ihn, was nun mit den nötigen Mitteln für die Fertigstellung der Sagrada-Familia geschähe. *Gott hat keine Eile, und ich kann den Preis nicht zahlen, den man von mir verlangt.*

Tausendmal fragte ich ihn auf der Überfahrt nach diesem Preis und nach der Identität des Kunden, den wir besucht hatten. Tausendmal lächelte er mich an, müde, wortlos den Kopf schüttelnd. Mit unserer Ankunft in Barcelona war mein Dolmetscherjob hinfällig geworden, aber Gaudí lud mich ein, ihn zu besuchen, wann immer ich wollte. Ich nahm mein Studium an der Hochschule wieder auf, wo Mascardó gierig darauf wartete, mich auszuhorchen.

»Wir sind nach Manchester gefahren, um eine Nietenfabrik zu besuchen, aber nach drei Tagen sind wir zurückgekommen, denn Gaudí sagt, die Engländer essen nur gekochtes Rindfleisch und können die Muttergottes nicht riechen.«

»Das ist vielleicht ein Hammer.«

Nach einiger Zeit, bei einem meiner Besuche in der Kirche, entdeckte ich an einem der Giebel ein Gesicht, das identisch war mit dem der Dame in Weiß. Ihre Gestalt, verschlungen in einem Schlangenknäuel, deutete einen Engel mit spitzen Flügeln an, leuchtend und grausam. Gaudí und ich kamen nie wieder auf das zurück, was in New York geschehen war. Diese Reise sollte für immer unser Geheimnis bleiben. Mit den Jahren wurde ich zu einem annehmbaren Architekten und bekam dank der Empfehlung meines Meisters eine Stelle im Atelier von Hector Guimard in Paris. Dort erreichte mich zwanzig Jahre nach dieser Nacht in Manhattan die Nachricht von Gaudís Tod. Ich nahm den ersten Zug nach Barcelona, gerade rechtzeitig, um das Trauergefolge zu sehen, das ihn zu seiner Beisetzung in der Krypta begleitete, wo wir uns kennengelernt hatten. An diesem Tag schickte ich Guimard meine Kündigung. In der Abenddämmerung ging ich noch einmal auf dem Weg zur Sagrada-Familia, den ich für meine erste Begegnung mit Gaudí genommen hatte. Die Stadt umgab bereits das Baugelände, und das Gotteshaus erklomm einen von Sternen übersäten Himmel. Ich schloß die Augen und konnte die Kirche einen Moment lang vollendet vor mir sehen, so, wie nur Gaudí sie in seiner Vorstellung gesehen hatte. Da wußte ich, daß ich mein Leben der Fortsetzung von meines Meisters Werk widmen würde, im Bewußtsein, daß ich die Zügel früher oder später anderen übergeben müßte, die wiederum dasselbe tun würden. Denn auch wenn Gott keine Eile hat, Gaudí wartet weiter, wo immer er ist.

CARLOS RUIZ ZAFÓN

lebenslauf

für katrin

lass uns nachts mitten auf
der strasse durch die stadt
rennen uns den hupenden
autos in den weg stellen &
unsere hemden über die
schilder hängen wenn sie
mit ihren gaspedalen an
den ampeln drängen & sich
an unseren verschlungenen
körpern vorbeizwängen &
uns der teufel weiss was
nennen nein wir lassen uns
nur von den zebrastreifen
trennen die wie wir nichts
als nackte haut & das
einsame brennen auf dem
asphalt kennen weil wir uns
lieben müssen wir immer
weiterrennen & wenn wir
nicht mehr können für eine
stunde auf den gittern der
lüftungsschächte pennen
bis sich uns vom heissen
wind die haare im nacken
wie antennen aufstellen &
wir hochschnellen zurück

auf die mitte der strasse &
uns die streunenden hunde an
den mülltonnen wachbellen &
wir rennen & rennen bis die
ersten strahlen des morgens
die stadt & die gesichter ihrer
müden menschen aufhellen &
wir den offnen mündern von
unserer reise erzählen

ALBERT OSTERMAIER

Koda

Vielleicht heißt lieben, zu lernen,
durch diese Welt zu gehen.
Zu lernen, still zu sein
wie die Linde und die Eiche der Fabel.
Sehen zu lernen.
Dein Blick streut Samen.
Er hat einen Baum gepflanzt.
Ich spreche
weil du sein Laub wiegst.

OCTAVIO PAZ

Zu dieser Ausgabe

»Nur mit den Karten, die einer hat, / Vermag er das Spiel zu gewinnen«, schreibt der weise Omar Chayyam, der persische Zeltmacher, und das Sprichwort sagt: »Man kann nur spielen, was Würfel und Karte gibt«. Beides meint nicht nur das Spiel mit Würfeln, Karten, mit Bällen oder sonstigen Gegenständen, sondern auch das Leben selbst – zwischen Vorbestimmung und Eigenständigkeit, zwischen Regel und Freiheit.

»Eine mögliche Deutung des Lebens ist, es als Spiel zu verstehen«, so der Philosoph Wilhelm Schmid. »Die Idee des Lebens als Spiel ist für viele Menschen faszinierend ... In moderner Zeit gewinnt das Leben als Spiel an Bedeutung, denn aufgrund des Freiseins von Bindung und äußerer Zwecksetzung wird es notwendig, zu experimentieren, auszuprobieren und in diesem Sinne zu spielen, jedoch auch Regeln des Spiels individuell festzulegen und Formen der Freiheit für sich selbst zu finden.«

Doch das Leben als Spiel zu begreifen ist nicht leicht und gefährlich dazu. Zwar träumt vermutlich jeder davon, heiter und spielerisch das Leben zu bestehen; daß dieses aber ernst sein kann, im Gegensatz zur Kunst, haben wir früh gelernt – paradoxerweise sogar spielerisch gelernt, denn der Spieltrieb ist dem Menschen angeboren. Geblieben ist danach vor allem die Ungewißheit: Das Leben ist so und so und immer auch das Gegenteil.

Friedrich Schiller hat in seinen Briefen über die ästhetische Erziehung des Menschen den prinzipiellen Zusammenhang von Spiel und Menschsein auf die berühmte

Formel gebracht: »Denn, um es endlich einmal herauszusagen, der Mensch spielt nur, wo er in voller Bedeutung des Worts Mensch ist, und er ist nur da ganz Mensch, wo er spielt.« Es ist diese grundsätzliche Offenheit, die für die nötige Spannung sorgt. Den Regeln, die für Spiel und Leben gelten, freiwillig zu folgen und sie auch selbst zu gestalten befreit uns von Zwängen, macht uns lebendig. »Am Spiel also haben wir eine Schnittstelle von grenzenlosem Potential«, führt Adolf Muschg aus.

Aber jedes Spiel braucht einen Bezugspunkt, einen Ruhepunkt, der außerhalb des Systems liegt und von dem aus die spielerische Gestalt des Lebens betrachtet und interpretiert, eingeordnet, bewertet werden kann, wie Thekla im »Wallenstein« weiß: »Das Spiel des Lebens sieht sich heiter an, / Wenn man den sichern Schatz im Herzen trägt, / Und froher kehr ich, wenn ich es gemustert, / Zu meinem schönern Eigentum zurück.«

Die Welt ist die Bühne, das Weltgeschehen das Schauspiel, und wir sind seine aktiven Mitspieler, dort, wo wir gerade stehen, nicht inkognito, sondern mit offenem Visier, wahrhaftig und bekennend – auf daß das Schicksal nicht sein Spiel mit uns treibe.

Die »Lektüre zwischen den Jahren« versammelt Texte aus der Weltliteratur, nachdenklich machende und ernste, heitere und durchaus verspielte: Literatur ist Spiel ist Phantasie.

Hans-Joachim Simm

Autoren- und Quellenverzeichnis

THEODOR W. ADORNO (1903-1969)
Spiel ist im Begriff der Kunst, S. 101, in: Gesammelte Schriften, hg. v. Rolf Tiedemann, Band 7, Frankfurt am Main: Suhrkamp Verlag 1970, S. 472 f.

RAFAEL ALBERTI (1902-1999)
Trauriges Stelldichein mit Charlie Chaplin, S. 99, in: Museum der modernen Poesie, hg. v. Hans Magnus Enzensberger, Frankfurt am Main: Suhrkamp Verlag 1960, Band 2, S. 479-481 (übers. v. Erich Arendt).

ANTIPHON (um 480-411)
Man kann das Leben nicht wiederholen, S. 5, in: Antike Weisheit, hg. v. Marion Giebel, Stuttgart: Reclam 1995, S. 95.

WYSTAN HUGH AUDEN (1907-1973)
Musée des Beaux Arts, S. 107, in: Museum der modernen Poesie, hg. v. Hans Magnus Enzensberger, Frankfurt am Main: Suhrkamp Verlag 1960, Band 1, S. 113 (übers. v. Kurt Heinrich Hansen).

CHARLES BAUDELAIRE (1821-1867)
Der schlechte Mönch, S. 53, in: Die Blumen des Bösen. Der Spleen von Paris, hg. v. Manfred Stark, Leipzig: Insel-Verlag Anton Kippenberg 1973, S. 27-29 (übers. v. Sigmar Löffler).

JOHANNES R. BECHER (1891-1958)
Auf das Spiel einer Fußball-Mannschaft, S. 91, in: Gedichte 1949-1958, Berlin und Weimar: Aufbau-Verlag 1973, S. 160.

GOTTFRIED BENN (1886-1956)
Die Schale, S. 87, in: Sämtliche Werke. Stuttgarter Ausgabe. In Verb. m. Ilse Benn hg. v. Gerhard Schuster (Bände I-V) und Holger Hof (Bände VI + VII). Bd. 1, Gedichte 1, © Klett-Cotta Stuttgart 1986.

JAKOB BÖHME (1575-1624)
Das ewige Spiel Gottes, S. 18, in: Aurora oder Morgenröte im Aufgang, hg. v. Gerhard Wehr, Freiburg i. Br.: Aurum Verlag, 1977, S. 190.

BERTOLT BRECHT (1898-1956)
Der Radwechsel, S. 94, in: Die Gedichte, hg. v. Jan Knopf, Frankfurt am Main: Suhrkamp Verlag 2000, S. 296.

CLEMENS BRENTANO (1778-1842)
Sprich aus der Ferne, S. 38, in: Werke, hg. v. Friedhelm Kemp, München: Carl Hanser Verlag 1963-1968, Band 1, S. 55-57.

PAUL CELAN (1920-1970)
Verjagt aus dir selber, S. 119, in: Die Gedichte. Kommentierte Gesamtausgabe, hg. v. Barbara Wiedemann, Frankfurt am Main: Suhrkamp Verlag 2003, S. 533.

ADELBERT VON CHAMISSO (1781-1838)
Geh du nur hin!, S. 41, in: Sämtliche Werke, hg. v. Jost Perfahl, München: Winkler Verlag 1975, Band 1, S. 188.

EMILE MICHEL CIORAN (1911-1995)
Gestern abend bei den Corbins, S. 117, in: Cahiers 1957-1972, übers. u. hg. v. Verena von der Heyden-Rynsch, Frankfurt am Main: Suhrkamp Verlag 2001, S. 112 f. – So viele Jahre, S. 118, ebenda, S. 137.

GÜNTER EICH (1907-1972)
Lange Gedichte, S. 105, in: Gesammelte Werke, hg. v. Axel Vieregg, Band 1, Frankfurt am Main: Suhrkamp Verlag 1991, S. 173-175.

JOSEPH VON EICHENDORFF (1788-1857)
Frühlingsfahrt, S. 42, in: Werke, Band 1, hg. v. Hartwig Schultz, Frankfurt am Main: Deutscher Klassiker Verlag 1987, S. 224 f.

THOMAS STEARNS ELIOT (1888-1965)
Jetzt da der Flieder blüht (aus: Prufrock und weitere Wahrnehmungen; Bildnis einer Dame), S. 89, in: Werke, Band 4, hg. v. Eva Hesse, Frankfurt am Main: Suhrkamp Verlag 1988, S. 19-21 (übers. v. Alexander Schmitz).

THEODOR FONTANE (1819-1898)
So und nicht anders, S. 7, in: Gedichte in einem Band, hg. v. Otto Drude, Frankfurt am Main und Leipzig: Insel Verlag 1998, S. 38. – Rückblick, S. 50, ebenda, S. 37 f. – Mein Leben, S. 50, ebenda, S. 590 f. – Drehrad, S. 51,

ebenda, S. 608. – Was ich wollte, was ich wurde, S. 52, ebenda, S. 609 f. – Summa summarum, S. 52, ebenda, S. 606.

MAX FRISCH (1911-1991)
Kabusch II, S. 108, in: Skizze eines Unglücks. Erzählungen aus dem Tagebuch 1966-1971, Frankfurt am Main und Leipzig 1999, S. 65-80.

FEDERICO GARCÍA LORCA (1899-1936)
Fries, S. 94, in: Gedichte, übers. u. hg. v. Enrique Beck, Frankfurt am Main und Leipzig: Insel Verlag 1998, S. 51.

JOHANN WOLFGANG GOETHE (1749-1832)
Leben hab ich gelernt, S. 5, in: Sämtliche Werke. Briefe, Tagebücher und Gespräche, Band 1, hg. v. Karl Eibl, Frankfurt am Main: Deutscher Klassiker Verlag 1987, S. 476. – Mich verwirren will das Irren (aus: Talismane, West-östlicher Divan), S. 29, ebenda, Band 3/1, hg. v. Hendrik Birus, 1994, S. 15. – Sisyphus (aus: Xenien), S. 29, ebenda, Band 1, 1987, S. 554. – Du machst die Alten jung (Frau von Stein), S. 30, ebenda, S. 252. – Malchen Hendrich, S. 30, ebenda, S. 253.

DURS GRÜNBEIN (geb. 1962)
Vertigo, S. 130, in: Erklärte Nacht. Gedichte, Frankfurt am Main: Suhrkamp Verlag 2002, S. 136.

HAFIS (1326-1390)
Was tu ich nun, S. 5, in: Diwan des großen lyrischen Dichters Hafis, 3 Bände, übers. v. Vincenz Ritter von Rosenzweig-Schwannau, Wien: Verlag der K. K. Hof- und Staatsdruckerei, 1858, Band 1, S. 303.

PETER HANDKE (geb. 1942)
Abgehen hieß früher sterben, S. 125, in: Das Spiel vom Fragen oder Die Reise zum sonoren Land, Frankfurt am Main: Suhrkamp Verlag 1989, S. 64 f.

HEINRICH HEINE (1797-1856)
Nun ist es Zeit, S. 44, in: Sämtliche Gedichte in zeitlicher Folge, hg. v. Klaus Briegleb, Frankfurt am Main und Leipzig 1993, S. 212 f. – Zu fragmentarisch ist Welt und Leben, S. 45, ebenda, S. 251. – Ich habe verlacht, S. 45, ebenda, S. 834.

JOHANN HELWIG (1609-1674)
Eine Sanduhr, S. 21, in: Deutsche Gedichte aus zwölf Jahrhunderten, hg. v. Hans-Joachim Simm, Frankfurt am Main und Leipzig: Insel Verlag 2000, S. 211.

HERMANN HESSE (1877-1962)
Der Blütenzweig, S. 80, in: Die Gedichte, hg. v. Volker Michels, Frankfurt am Main: Suhrkamp Verlag 1992, S. 332. – Oft ist das Leben, S. 80, in: ebenda, S. 442. – Einsamkeit, S. 81, ebenda, S. 763. – Träumerei am Abend, S. 82, ebenda, S. 788.

GEORG HEYM (1887-1912)
Die Seiltänzer, S. 88, in: Museum der modernen Poesie, hg. v. Hans Magnus Enzensberger, Frankfurt am Main: Suhrkamp Verlag 1960, Band 2, S. 455.

FRIEDRICH HÖLDERLIN (1770-1843)
Aussicht, S. 33, in: Sämtliche Werke und Briefe, hg. v. Jochen Schmidt, Band 1, Frankfurt am Main: Deutscher Klassiker Verlag 1992, S. 465. – Und mitzufühlen das Leben, S. 33, ebenda, S. 415.

JEAN PAUL (1763-1825)
Überall werden im historischen Bildersaal der Welt, S. 32, in: Werke, hg. v. Norbert Miller u. Gustav Lohmann, München: Carl Hanser Verlag 1959-1963, 1. Abt. Band 2, S. 771. – Jedes Spiel ist eine Nachahmung des Ernstes, S. 32, ebenda, 1. Abt. Band 5, S. 444.

DANIEL KATZ (geb. 1938)
In einer schäbigen Hafenkneipe, S. 122, in: Lots Töchter, Frankfurt am Main und Leipzig: Insel Verlag 2001, S. 9-11 (übers. v. Gisbert Jänicke).

KARL KROLOW (1915-1999)
Holterdiepolter, S. 119, in: Die Handvoll Sand. Gedichte aus dem Nachlaß, hg. v. Charitas Jenny-Ebeling, Frankfurt am Main und Leipzig: Insel Verlag 2001, S. 49.

QUIRINUS KUHLMANN (1651-1689)
Der Wechsel menschlicher Sachen, S. 26, in: Deutsche Gedichte des Barock, hg. v. Ulrich Maché u. Volker Meid Bode, Stuttgart: Reclam Verlag 1980, S. 268 f.

ELSE LASKER-SCHÜLER (1869-1945)
Das Lied des schmerzlichen Spiels, S. 74, in: Sämtliche Gedichte, hg. v. Karl Jürgen Skrodzki, Frankfurt am Main: Jüdischer Verlag 2004, S. 435 f. – Jugend, S. 75, ebenda, S. 47 f.

MICHAIL J. LERMONTOW (1814-1841)
Das Schiff, S. 47, in: Epochen deutscher Lyrik, hg. v. Walther Killy, München: Deutscher Taschenbuch Verlag 1977, Band 10/1, S. 427 (übers. v. Friedrich Bodenstedt).

GOTTHOLD EPHRAIM LESSING (1729-1781)
Die 47. Ode Anakreons, S. 28, in: Werke und Briefe, Band 2, hg. v. Jürgen Stenzel, Frankfurt am Main: Deutscher Klassiker Verlag 1998, S. 379 f.

METRODORUS (4. Jh. v. Chr.)
Das Glück des Lebens, S. 8, in: Epochen deutscher Lyrik, hg. v. Walther Killy, München: Deutscher Taschenbuch Verlag 1977, Band 10/1, S. 283 (übers. v. Johann Gottfried Herder).

MICHEL DE MONTAIGNE (1533-1592)
Über belanglose Spitzfindigkeiten und Spielereien, S. 10, in: Essais, übers. v. Hans Stilett, Frankfurt am Main: Eichborn Verlag 1998, 156-158.

CHRISTIAN MORGENSTERN (1871-1914)
Wer denn, S. 76, in: Gedichte in einem Band, hg. v. Reinhardt Habel, Frankfurt am Main und Leipzig: Insel Verlag 2003, S. 50 f. – Zwischen Weinen und Lachen, S. 76, ebenda, S. 419 f.

EDUARD MÖRIKE (1804-1875)
Der Spiegel an seinen Besitzer, S. 46, in: Gedichte in einem Band, hg. v. Bernhard Zeller, Frankfurt am Main und Leipzig: Insel Verlag 2001, S. 452.

ADOLF MUSCHG (geb. 1934)
Am Spiel haben wir also eine Schnittstelle, S. 120, in: Insel-Almanach auf das Jahr 2005, Frankfurt am Main und Leipzig: Insel Verlag 2004, S. 175-177.

VÍTĚSZLAV NEZVAL (1900-1958)
Weinlese, S. 95, in: Museum der modernen Poesie, hg. v. Hans Magnus Enzensberger, Frankfurt am Main: Suhrkamp Verlag 1960, Band 1, S. 105 (übers. v. Peter Demetz). – Marienbad, S. 95, ebenda, Band 2, S. 475-477 (übers. v. Paul Eisner).

FRIEDRICH NIETZSCHE (1844-1900)
Mit der Kraft seines geistigen Blicks (aus: Jenseits von Gut und Böse), S. 70, in: Werke in drei Bänden, hg. v. Karl Schlechta, München: Carl Hanser Verlag 1954, Band 2, S. 617 f.

NOVALIS [FRIEDRICH VON HARDENBERG] (1772-1801)
Astralis, S. 35, in: Werke in einem Band, hg. v. Hans-Joachim Mähl u. Richard Samuel, München, Wien: Carl Hanser Verlag 1984, S. 365-367.

OMAR CHAYYAM (1048-1131)
Mit der Welt wie sie ist, S. 8, in: Strophen des Omar Chiijam, übers. v. Adolf Friedrich Grafen von Schack, Stuttgart, Berlin: J. G. Cotta'sche Buchhandlung Nachfolger o. J., S. 85.

MARTIN OPITZ (NACH SOPHOKLES; 1597-1639)
List ist zwar bey vielen dingen, S. 18, in: Epochen deutscher Lyrik, hg. v. Walther Killy, München: Deutscher Taschenbuch Verlag 1977, Band 10/1, S. 53-55.

ALBERT OSTERMAIER (geb. 1967)
lebenslauf, S. 143, in: Heartcore. Gedichte, Frankfurt am Main: Suhrkamp Verlag 1999, S. 12 f.

BLAISE PASCAL (1663-1662)
Nur der Kampf macht uns Vergnügen, S. 27, in: Über die Religion und über einige andere Gegenstände, übers. u. hg. v. Ewald Wasmuth, Frankfurt am Main: Insel Verlag 1987, S. 76.

OCTAVIO PAZ (1914-1998)
Koda (aus: Kantate), S. 144, in: Das fünfarmige Delta. Gedichte, übers. v. Fritz Vogelgsang u. Rudolf Wittkopf, Frankfurt am Main: Suhrkamp Verlag 2000, S. 207.

FRANCESCO PETRARCA (1304-1374)
Je mehr ich mich dem letzten Tage nahe, S. 9, in: Epochen deutscher Lyrik, hg. v. Walther Killy, München: Deutscher Taschenbuch Verlag 1977, Band 10/1, S. 209 (übers. v. Johann Gottfried Herder).

JACQUES PRÉVERT (1900-1977)
Rechenstunde, S. 97, in: Jacques Prévert, Gedichte und Chansons. Deutsche Übersetzung von Kurt Kusenberg. Copyright © 1962 by Rowohlt Taschenbuchverlag GmbH, Reinbek bei Hamburg.

RAINER MARIA RILKE (1875-1926)
Ich lebe mein Leben in wachsenden Ringen, S. 79, in: Werke. Kommentierte Ausgabe, Band 1, hg. v. Manfred Engel u. Ulrich Fülleborn, Frankfurt am Main und Leipzig: Insel Verlag 1996, S. 157. – Du mußt das Leben nicht verstehen, S. 79, in: Sämtliche Werke, hg. v. Ernst Zinn, Frankfurt am Main: Insel Verlag 1955, S. 153.

JOACHIM RINGELNATZ (1883-1934)
Schöne Fraun mit schönen Katzen, S. 83, in: Und auf einmal steht es neben dir. Gesammelte Gedichte, Frankfurt am Main: Büchergilde Gutenberg 1996, S. 334-336. – Das Doktor-Knochensplitter-Spiel, S. 85, in: Warten auf den Bumerang. Gedichte, hg. v. Robert Gernhardt, Frankfurt am Main und Leipzig 2005, S. 37-39.

THOMAS ROSENLÖCHER (geb. 1947)
Mensch ärger dich nicht, S. 127, in: Die Dresdner Kunstausübung. Gedichte, Frankfurt am Main: Suhrkamp Verlag 1996, S. 73.

CARLOS RUIZ ZAFÓN (geb. 1964)
Gaudí in Manhattan, S. 132, in: Das Buch der Wunder. Phantastische Erzählungen, hg. v. Miriam Kronstädter u. Hans-Joachim Simm, Frankfurt am Main und Leipzig: Insel Verlag 2005, S. 22-29.

FRIEDRICH SCHILLER (1759-1805)
Das Spiel des Lebens sieht sich heiter an, S. 5, in: Werke und Briefe, Band 4, hg. v. Frithjof Stock, Frankfurt am Main: Deutscher Klassiker Verlag 2000 (Die Piccolomini III 4, V. 1566), S. 109. – Das Spiel des Lebens, S. 31, ebenda, Band 1, hg. v. Georg Kurscheidt, 1992, S. 291 f.

WILHELM SCHMID (geb. 1953)
Ein Kinderspiel, S. 128, in: Die Kunst der Balance. 100 Facetten der Lebenskunst, Frankfurt am Main und Leipzig: Insel Verlag 2005, S. 114 f.

WILLIAM SHAKESPEARE (1564-1616)
Die ganze Welt ist eine Bühne (Monolog des Jacques aus: Wie es euch gefällt), S. 17, in: Die großen Dramen, übers. u. hg. v. Rudolf Schaller, Frankfurt am Main: Insel Verlag 1981 (© Rütten & Loening Berlin 1978), S. 166 f.

THEODOR STORM (1817-1888)
Maskerade, S. 48, in: Sämtliche Gedichte in einem Band, hg. v. Dieter Lohmeier, Frankfurt am Main und Leipzig: Insel Verlag 2002, S. 325 f.

ALGERNON CHARLES SWINBURNE (1837-1909)
Im lande der träume ersah ich mein ziel, S. 69, in: Epochen deutscher Lyrik, hg. v. Walther Killy, München: Deutscher Taschenbuch Verlag 1977, Band 10/2, S. 557 (übers. v. Stefan George).

RABINDRANATH TAGORE (1861-1941)
An einem Regentag, S. 72, in: Liebesgedichte, übers. u. hg. v. Martin Kämpchen, Frankfurt am Main und Leipzig: Insel Verlag 2004, S. 60 f.

LEW TOLSTOJ (1828-1910)
Nach dem Ball, S. 54, in: Sämtliche Erzählungen, hg. v. Gisela Drohla, Frankfurt am Main: Insel Verlag 1990, Band 4, S. 439-451 (übers. v. Arthur Luther).

JULIAN TUWIM (1894-1953)
Friseure, S. 92, in: Museum der modernen Poesie, hg. v. Hans Magnus Enzensberger, Frankfurt am Main: Suhrkamp Verlag 1960, Band 2, S. 477-479 (übers. v. Karl Dedecius).

UNBEKANNTER VERFASSER (1536)
Des spils ich gar kein gluck nit han, S. 15, in: Epochen deutscher Lyrik, hg. v. Walther Killy, München: Deutscher Taschenbuch Verlag 1977, Band 3, S. 124 f.

UNBEKANNTER VERFASSER (1805-1808)
Hier liegt ein Spielmann begraben, S. 40, in: Des Knaben Wunderhorn. Alte deutsche Lieder, gesammelt von Achim von Arnim u. Clemens Brentano, hg. v. Heinz Rölleke, Frankfurt am Main und Leipzig: Insel Verlag 2003, S. 309 f.

CHRISTIAN WEISE (1642-1708)
Ein Gauckel-Spiel der Welt, S. 22, in: Epochen deutscher Lyrik, hg. v. Walther Killy, München: Deutscher Taschenbuch Verlag 1977, Band 4, S. 289-291.

OSCAR WILDE (1854-1900)
Der Häßliche und der Dumme, S. 71, in: Aphorismen, hg. v. Frank Thissen, Frankfurt am Main: Insel Verlag 1987, S. 36. – Dennoch glaube ich, S. 71, ebenda, S. 41.

WILLIAM CARLOS WILLIAMS (1883-1963)
Die Tathandlung, S. 86, in: Museum der modernen Poesie, hg. v. Hans Magnus Enzensberger, Frankfurt am Main: Suhrkamp Verlag 1960, Band 1, S. 31 (übers. v. Hans Magnus Enzensberger).

Inhalt